동화작가 정채봉이 쓴 김수환 추기경 이야기

바보별님

동화작가 정채봉이 쓴
김수환 추기경 이야기

바보별님

바보야

· 정채봉 지음 ·

솔

"고맙습니다, 서로 사랑하세요."

추기경님 겸양의 뜻 따라 이제야 펴내

이경철

(문학평론가, 전 중앙일보 문화부장)

먼저 저와 김수환 추기경님, 그리고 정채봉 동화작가님과의 인연을 말하겠습니다. 저는 동성중학교 출신입니다. 그러니 추기경님의 까마득한 후배인 셈이지요. 가톨릭에서 세운 그 학교 재학시절 추기경님 집전으로 영세와 견진 성사를 차례로 받았습니다.

세월이 흘러 기자시절인 2000년 5월 성균관대학에서 뵙습니다. 유학계에서 주는 상을 받으시며 추기경님은 "인(仁), 대자대비(大慈大悲), 사랑의 정신을 발휘해 한민족이 명실상부한 '동방의 빛'으로 인류에게 희망과 위로를 주자"고 말씀하셨죠. 유교, 불교, 기독교 등 종교가 화합해 그 근본정신으로 인류에게 희망을 주는 새천년을 열어가

잔 말씀이지요.

1998년 서울대교구장 자리에서 물러난 추기경님은 혜화동 주교관에만 머무르시며 사회에 대한 말을 아껴왔습니다. 특히 언론과의 만남을 극히 피해왔습니다. 수상식을 마친 후 저는 추기경님께 어렵게 다가가서 저는 누구누구라고 '인연'을 강조하며 한번 찾아뵙고 말씀을 듣고 싶다 했습니다. 추기경님은 가타부타 말씀 없이 반갑게 웃으시기만 했습니다.

다음날부터 주교관으로 몇 번 뵈러갔으나 모시는 수녀님에게 막혀 면담이 물리곤 했습니다. 새천년을 맞아 우리 사회의 참어른께 향후 나아갈 길을 간절히 물어 전하고 싶었으나 그리 안 됐습니다. 언론의 문밀듯한 면담 요청을 그렇게 거절하고 계셨습니다. 다른 후배 어른들께 그 역할을 물려주시려는 추기경님의 지극한 겸양의 배려였겠죠.

정채봉님과는 대학의 같은 학과 선후배 사이입니다. 대학시절 신춘문예로 등단한 선배를 존경하고 졸업 후에도 형, 아우로 한 가족 같이 어울리며 지내다 2001년 아쉬운 나이에 몹쓸 병마로 먼저 보내드려야 했습니다. 저를 가족 같이 '삼촌'이라 부르는 유족들과 함께 사후 전집 출간에 대한 논의도 거들었었습니다. 향기로운 문체와 깊은 울림을 주는 동심으로 어린이는 물론 어른들에게까지 널리 읽히는 작품 활동을 펼치다 정채봉님은 무르익은 나이인 55세에 하늘로 돌아가 동심의 수호천사가 되셨습니다.

정채봉님의 그런 향기로운 동심의 삶과 작품세계를 추기경님은 이렇게 추모하셨습니다. "정채봉 프란치스코의 삶은 동심과 사랑이었다. 아이들의 순수한 눈으로 세상을 볼 수 있다는 것은 하느님의 큰 축복이다. 이제 비록 그를 가까이에서 볼 수는 없지만 동심을 담은 그의 글이 남아 우리에게 여전히 읽힌다는 것에 다시금 감사할 따름이다."

스스로 '바보'로 낮추고 비우며 이 세상에 사랑과 위안을 주다 추기경님이 선종하신 며칠 후 독실한 가톨릭 신자인 선배시인과 함께 추기경님을 추억하던 중 문득 이 책 원고 이야기가 나왔습니다. "정채봉이 10여 년 전 어떤 신문에 추기경님 이야기를 동화로 연재했는데 왜 출간되지 않고 있는지 모르겠네요. 이 형이 한번 알아보소"라고요. 헤어지고 난 직후 여러 경로를 통해 이 원고에 대해 알아보았습니다.

이 원고는 소년한국일보에 〈저 산 너머〉라는 제목으로 1993년 5월 1일부터 8월 7일까지 78회분으로 연재된 작품입니다. 연재에 앞서 이 신문은 '알림' 기사를 통해 "김 추기경은 '오늘의 양심'으로 신자들뿐 아니라 온 국민들로부터 존경받고 있습니다"라며 "여태까지 공개하지 않았던 어린 시절 이야기를 들려주게 되어 더욱 뜻이 깊습니다"라고 그 연재 이유를 밝혔습니다.

연재에 앞서 정채봉님은 추기경님과 함께 경북 군위의 추기경님이 성장한 옹기골 마을과 다니던 초등학교로 추억여행을 떠나 많은 것을 보고 들으셨습니다. 그리고 명동성당 집무실로 추기경님을 찾아 성장한 이야기를 메모하고 녹음하며 연재해 나갔고 추기경님은 매일 아침 신문에 실린 작품을 찬찬히, 반갑게 읽으셨다고 전합니다. "초롱초롱한 눈으로 그 이야기를 읽는다는 생각을 하면 고맙기가 그지없습니다"라고 독자들께 감사의 말도 했고요.

연재를 마친 후 책 출간을 위해 찾은 정채봉님에게 추기경님은 책으로는 펴내는 것을 간곡히 만류했다 합니다. "작품이 참 예쁘고 순수해 매일같이 읽었어요. 우리 사회의 지도적 인물도, 위인도 아닌 이 '바보'가 너무 잘 그려져 쑥스럽습니다. 지금은 남 보기 민망하고 부끄러우니 나 가고 난 뒤에 책으로 내더라도 내면 좋겠네요"라는 게 그날 말씀의 요지라고 전합니다. 이 또한 추기경님의 겸양의 미덕이겠지요. 그후 정채봉님은 연재한 원고를 다시 꼼꼼히 고치고 정리해 놓았습니다. 그래 정채봉님 가시고 추기경님 가시고, 두 분 모두 선종하신 후 이 작품은 책으로 빛을 보게 된 것입니다.

이 책은 1, 2부 두 부로 나뉘어 있습니다. 1부는 병인박해(1866년) 때 순교하신 추기경님의 할아버지 때부터 군위초등학교 5학년 때까지 이야기입니다. 2부는 성 유스티노 신학교 시절부터 구술하는 시점, 즉 1993년까지 이야기로 볼 수 있습니다. 1부는 주인공을 추기경님인 '막내'로 삼아 작가가 이야기를 꾸려나간 3인칭이지만 2부는 추기경님이 직접 '나'로 나서 독자에게 말씀을 들려주는 구술형태, 1인칭 작품입니다. 해서 이 책은 추기경님과 정채봉님 두 분이 함께 쓰신 작품으로도 볼 수 있습니다.

　두 분의 동심이 만나 남긴 이 책이 추기경님 말씀대로 "아이들의 순수한 눈으로 세상을 볼 수 있다는 것은 하느님의 큰 축복"으로 읽히길 기원합니다. 세상 허물, 돌아온 탕아들을 다 '내 탓이오' 하며 끌어안으신 사랑과 동심의 바보 별님, 김수환 스테파노 추기경님과 정채봉 프란치스코 작가님, 하늘 나라에서 함께 영락을 누리소서.

　오, 펠릭스 꿀빠!(Oh, Felix Culpa! 오, 복된 탓이여!)

내일의 등불 김수환 추기경님 삶에서
사랑과 희망의 씨앗 찾으시길

정 채 봉

"신기한 것은 많다. 그러나 사람만큼 신기한 것은 없다"고 고대 그리스 문학자인 소포클레스가 말했습니다만 저는 사람에 대해 관심이 많습니다.

특히 우리 시대에 함께 살아가고 있는 지도자에 대해 남달리 유심히 바라보곤 합니다. 그것은 이 땅에서 함께 살아가는 사람이 어떻게 하여 그런 발자국을 남기게 되는지 분명히 지켜볼 수 있기 때문이며, 그 발자국에 동참할 수도 있기 때문입니다.

정확히 말하자면 '오늘'도 내일 편에서 본다면 과거입니다. 우리는 곧잘 어제에서 '오늘'을 보고 말하는 습관에 길들여져 있습니다만 보다 미래적인 생을 살기 위해서는 내일에서 '오늘'을 볼 줄 알아야 합니다.

그래야 강물처럼 밀려서 사라지지 않고 내일로 나아가는, 살아 있는 생각을 할 수 있지 않을까 생각합니다.

제가 우리 지도자에 대한 관심과 미래에서 보는 '오늘'의 시각을 말한 것은 김수환 추기경(가톨릭교회의 고위 성직자로 로마 교황의 최고 고문이며 교황을 선거하고 보좌합니다)님의 어린 시절 이야기를 쓰는 데 기본 축으로 삼으려 하기 때문입니다.

그분을 우리가 가야 할 내일의 길에 길잡이 등불로 삼을 수 있다면, 그리고 '저 산 너머'의 세계까지도 알 수 있게 하는 만남이 된다면 얼마나 큰 복이겠습니까.

그것도 다른 나라 사람이 아닌 우리나라 사람이며 손길이 미치지 않는 옛 인물이 아닌 오늘 우리와 함께 한 하늘 밑에서 살아가고 있는 분인데야 일러 무엇하겠습니까.

그중에서도 현재 우리나라에서 많은 사람들의 존경을 받고 있는 분 가운데 한 분이신 김수환 추기경님의 어린 시절 이야기를 감히 쓰겠다고 마음먹은 것은 이분이 걸어오신 길을 글로 따르다보면 미래를 살아갈 사람들에게 용기의 씨앗, 희망의 씨앗, 정의의 씨앗, 그리고 빛의 씨앗을 뿌려줄 수 있지 않을까 하는 기대가 있어서입니다.

김수환 추기경님은 예전 어린 시절을 보냈던 군위를 다녀오시면서 곁에 있던 저에게 이런 말씀을 하셨습니다

　　"사람한테는 세 사람의 자기가 있지요. 한 사람은 남이 아는 자기이고, 또 한 사람은 자기가 아는 자기이며, 나머지 한 사람은 자기가 모르는 자기이지요. 바라건대 제가 이 일을 하는 동안 남들이 아는 나보다, 그리고 내가 아는 나보다도, 내가 모르는 내가 진실로 나타나서 쓸 수 있게 되기를 간절히 기도합시다. 그것은 신성이기 때문입니다."

차
례

제1부 저 산 너머

제2부 애야, 너 어디에 있느냐

제1부

저 산 너머

이삭 줍는 여인

싱그러운 유월의 햇살이 조용히 내리는 한낮이었다. 인근 민가에서 수탉이 홰를 치고 길게 한 번 운 뒤 관가의 옥문이 삐거덕하고 오랜만에 열렸다.

이내 옥문으로 하얀 치마 저고리를 입은 한 여인이 걸어 나왔다. 여인의 얼굴은 부어 있었다. 아니, 얼굴뿐만이 아니고 손등도, 발등도, 몸도 부어 있었다.

여인은 부어서 거의 메워지다시피한 가는 눈으로 다시 닫히는 옥문을 물끄러미 뒤돌아보고 있었다. 옥문 안으로 쏟아지던 햇살이 옥문이 닫히자 다시 걷힌 채로 남았다.

여인은 고개를 숙이고 몇 걸음을 걸었다. 여인의 앞에 살구나무가 나타났다. 여인은 살구나무 등에 어깨를 기대고 잠시 쉬었다. 살구나무 가지 사이로 바람이 흐르면서 잎새들을 흔들었다.

여인은 그제서야 그동안 잊고 있었던 푸른 하늘을 올려다보았다.

아아, 하늘은 눈이 부시게 푸르렀다. 그리고 흰구름이 두둥실 떠 있었다. 푸른 하늘, 흰구름을 향해 가지를 뻗치고 있는 살구나무. 그 잎새 속에서는 풋살구들이 촘촘히 박혀서 자라고 있었다.

여인의 눈에 갑자기 눈물이 그렁그렁 고였다.

'그래, 세상은 여전히 이렇게 움직이고 있었구나. 푸른 하늘에는 흰구름이 흐르고, 나뭇가지 사이로는 바람이 불고, 그리고 살구꽃이 피고 지고, 열매가 맺히고, 열매에 살이 오르고…….'

사실 여인은 옥에 갇혀 지낼 때 세상은 정지돼 있으려니 생각했다. 난데없이 포졸들이 쏟아져 들어와 세간살이들을 부수고 아이들이고 어른들이고를 가리지 않고 오랏줄로 묶었을 때부터 정지돼버린 평화였다. 웃음이 떠나갔고 이웃이 떠나갔다. 햇볕이 떠나갔고 먹을 것 또한 떠나갔다. 대신 온 것은 매질과 고문과 배고픔과 어둠이었다.

여인은 감옥 안에서 지낼 때 혹시 하느님이 떠나고 계시지 않는 것이 아닌가 하는 의심이 들곤 했다. 그렇지 않다면 당신을 따르는 사람들이 그 온갖 고문과 주림과 어둠 속에서 고통을 받고 있는데 어찌 꼼짝도 하지 않을 수 있단 말인가 하는 생각이 들었던 것이다.

'그래, 바깥 세상이 이렇듯 정지하지 않고 움직이고 있었듯이 내 안에서도 움직이는 생명이 있었지.'

여인은 부른 아랫배를 가만가만히 쓰다듬으며 말했다.

"아가야, 저 푸른 하늘을 느끼렴. 그리고 저기 저 흘러가는 흰구름도 느껴보렴. 이렇게 세상은 아름다운 것이란다. 자, 아가야, 이 싱그러운 바람을 맛보렴. 아, 이 찬란한 햇볕도 먹어보렴."

여인의 눈에서는 갑자기 눈물이 펑펑 쏟아졌다. 여인은 두 손을 가슴 앞에 모으고 하늘을 우러르며 중얼거렸다.

"하느님은 역시 계시구먼요."

여인은 천천히 살구나무 곁을 떠났다. 몸은 무거웠으나 묶임에서 풀려나 걸음을 걷고 있다는 것만도 큰 은혜로 여겨졌다.

여인은 다시 두 손으로 아랫배를 쓰다듬으며 말했다.

"고맙다, 아가야."

여인이 고맙다고 한 것에는 두 가지 이유가 있었다. 그 중 하나는 그동안 그 엄청난 고통 중에도 아기가 태중에서 잘 견뎌내준 것이었다. 그리고 또 하나는 태중 아기로 하여 옥문을 나설 수 있게 된 때문이었다.

처음, 여인은 가족들과 함께 죽으리라 마음먹었다. 가족들이 모두 옥살이를 하는데 혼자 살아나가 무엇하랴 생각했다. 그런데 남편이 조용히 타일렀다.

"부인, 다행히 국법에 임신한 여인은 처벌하지 않는다는 조례가 있소. 부인 혼자만이라도 나가서 살아주어야 하오. 태중에 아기가 있고 바깥에 또한 열 살도 채 안 된 어린 남매가 있지 않소? 그 어린 생명들을 부인이 거두어 살려야 하오. 그게 하느님의 뜻이오."

"그럼 우리가 이 고통을 당하고 있는 것도 하느님의 뜻인가요?"

"……"

남편은 기도를 하고 있었는지 아무런 대꾸 없이 눈을 감고 있었다.

그 남편이 옥문을 나설 때 여인한테 이렇게 말했다.

"우리가 지금 받는 이 고통이 후일 어떤 꽃을 피우게 될지 어찌 아오? 하느님만이 알고 계실 일이오. 부디 믿고 살아주시오."

여인은 그 남편이 들어 있는 옥사를 뒤돌아보았다. 그곳 지붕의 기왓골에는 아지랑이가 아롱거리고 있었다. 그 아지랑이들이 일제히 몰려든다고 생각한 순간 여인은 갑자기 어지러움을 느끼며 쓰러지고 말았다.

얼마나 지났을까. 여인은 간신히 눈을 떴다. 거미줄이 쳐진 처마 끝이 보였고 흙벽이 보였다. 그리고 옆에서 지켜보고 있는 동그란 아이의 얼굴이 보였다.

"오빠, 엄마가 눈을 떴다."

딸아이가 소리를 치자 밖에서 사내아이와 몸종인 간난이가 달려들어 왔다. 두 아이는 이내 여인의 품에 얼굴을 묻고 울음을 터뜨렸다.

"그만 울음을 그쳐라."

여인은 두 아이의 등을 두들기며 달래었다.

흙벽에 붙어 서 있던 간난이가 비로소 입을 열었다.

"마님, 정신이 드셨구먼요."

"그래, 그런데 지금 여기는 도대체 어디이냐?"

"공동묘지로 가는 길가에 있는 움막이어요. 산일 하는 사람네가 살았는 모양인데 비어 있었어요. 그래서 오갈 데 없는 우리기 들어왔어요."

여인은 일어나 앉으며 물었다.

"내가 여기에 어떻게 오게 되었니?"

간난이가 다가왔다. 그동안 빗질 한번 못하고 있던 여인의 머리를 얼개빗으로 빗겨주며 말했다.

"우리는 저녁때가 되면 옥문 밖에 가보곤 했있어요. 해가 서쪽으로 기울고 노을이 지면 더 슬퍼지거든요. 그런데 오늘은 좀 일찍 사게 되었어요. 장터를 지나다가 얼굴도 알지 못하는 분한테서 쌀보리를 조금 얻게 되어 좋아서 옥문 앞 살구나무 밑을 지나가는데 마님이 거기 쓰러져 있지 뭐예요."

"쌀보리를 주신 분이 어떻게 생겼더냐?"

"숯장사를 하는 사람 같았어요. 얼굴에 숯검정이 많고 옷도 남루했어요."

여인은 고개를 끄덕였다. 어쩌면 이 난리통에 피해 살면서 얼굴을 숯검정으로 변장한 교우일는지 모른다고 생각했다.

바깥에서 개구리 울음소리가 들려오기 시작했다. 개구리 울음소리는 흡사 자갈 많은 도랑을 흐르는 물소리 같았다.

여덟살박이 딸아이가 문득 물었다.

"어머니, 아버지는 언제 나오셔요?"

여인은 흙벽에다 등을 기대며 대답했다.

"글쎄다…… 언젠가는 나오시겠지…… 에미는 임신이 되어 있다고 해서 풀려났지만……."

"그럼 동생이 생기는 거예요?"

그제서야 움막 안에 웃음이 번졌다. 그러나 이내 웃음소리는 어둠에 눌려버리고 말았다.

"자, 자자꾸나."

여인은 두 아이를 양팔에 하나씩 누이고서 눈을 감았다. 그러자 옥에 갇혀 있는 얼굴들이 떠올랐다. 당숙모 얼굴도 떠올랐고 시누이, 올케의 얼굴도 떠올랐다. 오늘밤은 한숨이 더 짙으리라.

사람 마음이라는 게 참 이상했다. 함께 고통을 받고 있을 때는 그

24

래도 견딜 만했다. 그러나 갇혀 있던 사람 중 어떤 한 사람이 밖으로 나간 날 밤에는 같은 외로움인데도 스산함이 가슴을 저며 오는 것이었다.

여인은 가슴 위로 두 손을 올렸다.

'하느님, 갇혀 있는 저희 어른들과 형제들에게 제가 어린 우리 아이들을 품고서 느끼는 이 따뜻함을 나누어주세요. 정말이지 매맞고 배곯아 서러운 옥살이예요. 차라리 지은 죄라도 분명하다면 속이라도 편할 거예요. 하느님도 아시지요? 억울하다고 생각하고 있으니 속까지 미어져요. 하느님, 비오니 갇혀 있는 분들께 잠이라도 어서 들게 해주세요. 그리고 꿈에라도 좋으니 보리밭 이랑 위로 종달새 날고 보리피리 부는 꿈을 꾸게 해주세요. 꿈속에까지 귀신들이 나타나니 견디기 어려워요. 불타고 쫓기는 꿈까지 꾸게 되니 밤낮이 지옥 아닌가요? 하느님, 꿈에서라도 우리를 함께 만나서 예선 어느 하루처럼 예배하고 즐기워하게 한다면 절대 도망가지 않겠어요. 아니 제 태중 아기도 당신이 바라는 대로 시키겠어요.'

여인이 눈을 뜨니 창호지가 찢어지고 없는 봉창 니미로 희부언 하늘이 내다보였다. 참새들이 우짖고 있는 것으로 보아서 오늘 날씨도 쾌청할 것 같았다.

여인은 살며시 아이들의 베개가 되었던 팔을 빼어 일어났다. 그런데 옷고름이 당겨졌다. 뒤를 돌아보니 딸아이의 저고리 옷고름에 묶여 있었다. 여인의 목은 또 한번 컥 막혀왔다.

딸은 어머니를 다시 놓칠까 싶어 잠이 들면서도 어머니의 옷고름에 제 옷고름을 묶어두고 있는 것이리라.

여인은 서로 묶인 옷고름을 풀어서 딸아이 것은 딸아이 것대로 매고 자기의 것은 자기의 것대로 매었다. 이때 윗목에서 자고 있던 간난이가 부시시 일어났다. 여인은 살며시 간난이를 눈으로 불러서 밖으로 나왔다.

"나 지금 연산에 좀 갔다올 테니 너는 아이들을 데리고 있거라."

"안 돼요, 마님. 연산에는 왜 가세요?"

"우리가 살던 곳인데 왜 가지 말라는 말이냐?"

"집도, 논도, 밭도, 관가에서 다 빼앗아가버렸는 걸요. 가봐도 아무 것도 없어요. 사람들도 우리를 보면 짐승을 보는 것마냥 피해 다녀요."

"그러나 나는 가봐야 한다. 가서 할 일이 있어."

여인은 서둘러서 움막을 나섰다. 쉬지 않고 걸어 점심때 무렵에는 재를 넘어가게 되었다. 소나무 그늘에서 땀을 들이고 있는데 스님이 여인 앞을 지나갔다. 여인은 인적이 드문 고갯길이어서 동행이 있으면 하고 바라던 참이었다.

여인은 벌떡 일어나서 일정한 간격을 두고 스님 뒤를 쫓았다. 고개

중턱 갈림길에서 스님이 발걸음을 멈추었다. 여인도 발을 멈추었다.
스님이 여인을 놀아보며 물었나.

"저는 이쪽 절로 갑니다. 아낙은 어디를 가는 길손이오?"

"저 아래 연산을 갑니다."

"연산 사람이오?"

"네. 그러합니다."

"비는 사람이오?"

"네?"

"아, 꿈같은 것이 있지 않소?"

"네…… 사실은 어젯밤에 선몽을 꾸게 해주십사 기도드렸습니다
만……."

"왼다리 긁으시네."

"네?"

"아, 아니오. 그랬더니 어떻던가요? 실제로 좋은 꿈이 꾸입디까?"

"아닙니다, 그냥 난삼만 섰습니다."

"그게 선몽보다는 좋은 것입니다."

"네?"

"생각해보시오. 나쁜 꿈에서 벗어나고자 좋은 꿈을 바라셨는가 본
데, 좋은 꿈이란 또 깨어나면 안 꾼 것보다도 못한 허망이 따르는 법
입니다. 사실은 아낙의 얼굴을 보고 한마디 하고 싶어서 말을 붙였습

니다.”

“무슨 말씀이신데요?”

스님은 한참동안 침묵을 지켰다.

뒷산 속에서 뻐꾹새가 울었다. 가까이서 듣는데도 뻐꾹새 울음소리
는 슬프다.

여인은 발밑의 돌을 주워들어서 뻐꾹새 울음소리가 흘러나오는 산
등성이를 향해 힘껏 던졌다.

스님이 ‘허’ 하고 짧게 웃었다.

“왜 죄없는 날짐승을 향해 돌을 던지시오?”

“저 울음소리가 듣기 싫어서입니다.”

“아니, 저 새소리가 울음소리로 들리다니요?”

“그럼, 스님 귀에는 어떻게 들립니까?”

“내 귀에는 뻐꾹 뻐꾹 하고 부르는 노랫소리로 들립니다.”

여인은 가만가만히 고개를 저었다. 그러고는 소나무 뒤로 몸을 숨
기며 말했다.

“그것은 저 하늘의 흰구름마냥 자유자재로 넘나들며 걱정 없는 스
님 같은 분들한테나 그렇게 들릴 수 있는 일이지요. 그러나 죄없이 가
산 몰수당하고 가족들이 뿔뿔이 흩어져 옥에 갇힌 사람들에게는 피울
음소리나 다름없이 들리는 거예요.”

28

"그렇지요. 세상 만물은 마음먹기에 따라 다른 것이지요. 고통 중에 있는 사람에게 꽃인들 피울음으로 안 비칠까…… 그러나 아낙 얼굴을 보니 공덕을 쌓아야 할 분이오. 좋은 씨가 뿌려져 있으니 좋은 거름이 있어야겠어요. 누가 아오? 지금의 견디기 어려운 고통이 공덕이 될지……."

여인은 소나무 뒤에서 그동안 참고 있었던 울음을 뻐꾹새 소리에 묻혀 내놓았다.

'이 설움 들풀들이나 알까, 산풀들이나 알까, 아무도 모르오. 아무도 모르오……'

여인은 이마를 스치는 부드러운 산바람에 눈을 떴다. 뻐꾹새 울음 소리도 없고 스님도 없었다. 저쪽 억새풀 사이에서 산나리꽃 한 송이가 벙그러 갸우뚱 여인 쪽으로 고개를 내밀고 있었다.

여인은 산나리꽃이 내다보고 있는 줄도 모르고 울고 있었던 것이 한편 민망하기도 하고 한편 위로가 되기도 했다. 여인은 서둘러서 산을 내려갔다.

여이이 연산의 예전 마을에 도착한 것은 하늘에 노을이 보리밭의 보리 익어가는 것처럼 뉘엿뉘엿 퍼질 무렵이었다.

집은 이미 사람의 출입이 금지된 관가의 공시가 있었으나 여인은 살며시 새끼줄 밑으로 허리를 구부려서 들어갔다. 대문도, 방문도, 부

얿문도 성한 것이 없었다. 깨어진 옹기가 잡초가 수북히 자란 마당가에 뒹굴고 있었고, 새앙쥐가 담구멍에서 빠끔히 내다보고 있을 뿐 너무도 괴괴하였다.

집을 한 바퀴 돌아보던 여인은 툇마루 밑에 떨어져 있는 누런 책 한 권에 눈길이 머물렀다.

그렇다. 그것은 바로 여인이 찾던 가문의 족보였다. 여인은 그 족보를 항아리에 담아 이고는 무너진 담을 넘어 뒤꼍으로 나왔다.

한참 가다보니 산비탈이 나타났다. 여인은 그곳에서 숨을 돌리다 말고 늙은 오동나무가 한 그루 서 있는 밭언덕을 보았다.

'그래, 늙은 오동나무에는 봉황이 깃들인다고 했지.'

여인은 천천히 오동나무 아래로 걸어갔다. 호미로 오동나무 밑에 구덩이를 팠다. 가문의 족보가 든 항아리를 묻고 흙을 덮었다.

여인은 흙을 다지면서 아랫마을로 눈을 주었다. 집들의 굴뚝에서 저녁밥을 짓는 연기가 솔솔 올라오고 있었다. 먼데 논두렁길로 소를 앞세우고 돌아오는 하얀 옷 입은 사람도 눈에 들어왔다. 아직 집에 들어오지 않는 아이를 부르는 엄마의 목소리도 아스라이 들려왔다.

여인은 가만가만히 배를 쓰다듬으며 태중 아기에게 들으라는 듯이 말했다.

"그래, 세상의 행복이란 별것인 것 같지만 별것이 아니다. 저렇듯 저녁밥 짓고, 밖에 나간 사람이 무사히 돌아오고, 걱정 없이 잠들면서 하늘에 감사기도를 드릴 수 있다면 그것이 행복이다, 알겠니?"

여인은 옷을 털고 일어났다. 어둠이 안개처럼 몰려드는 비탈길을 걸으면서 여인은 다시 혼잣말을 했다.

'스님이 말씀하길 공덕을 쌓으라고 하셨다. 신기하게도 그분은 내 한테 비는 사람이냐고 물었다. 내가 얼른 알아듣지를 못하자 아, 꿈같은 것이 있지 않냐고 하였다. 그래, 그것은 천주님을 믿는 우리의 신앙을 꿰뚫어본 눈이었다.'

구름이 비켜간 자리에 별 하나가 떴다. 어둠이 짙어질수록 별빛은 더욱 초롱거렸다.

여인은 하늘의 별을 우러르고서 기도하였다.

'나를 옥 밖으로 꺼내주신 뜻을 이제야 어슴푸레 알 것 같습니다. 절대 흔들리지 않겠어요. 동냥질을 해서라도 옥바라지를 할 것이며, 이 어린 생명을 어질게 거두겠어요.'

여인은 빈집으로 가서 밤을 났다. 다행히 떠나지 않고 있는 고양이가 여인의 발밑에 와 머물러주어서 의지가 되었다.

이튿날, 먼동이 트자 여인은 서둘러서 빈집을 나왔다. 산밑 움막으로 돌아오자마자 간난이를 불러 말했다.

"오늘부터 우리 보리이삭을 주우러 다니자."

"아니, 마님이 보리이삭을 주워요?"

"그럼 한때의 있는집 부인이라고 해서 손 모두고 앉아 있으면 하늘에서 양식이 떨어진다더냐?"

"그래도 마님께서 어떻게 땡볕 아래서 보리이삭을 주워요?"

"시끄럽다. 지금 옥에서는 배가 고파 지푸라기를 씹고 흙벽을 뜯어 먹는 판이야. 어서 나서자. 보리이삭을 주워서 주먹밥이라도 지어 들여보내야 돼."

여인은 삼베수건을 머리에 쓰고 움막을 나섰다.

보리를 베어들여버린 밭은 막막하였다. 누런 보리 포기만 가지런하고 보리이삭은 어쩌다 한두 개씩 보일 뿐이었다.

여인은 보리이삭을 치마폭에 주워 담으면서 옆에 따라오고 있는 간난이에게 말했다.

"나는 새삼스럽게 보리 한 모가지가 이렇게 소중하다는 것을 깨닫는다. 이 한 이삭에서 서른 알의 보리가 나온다는 것도 이제야 알았다. 그리고 흘려버린 이삭이 뜻밖의 덕이 된다는 것도 배웠다."

"마님은 옥에서 나오시더니 전혀 다른 분이 되신 것 같아요."

여인은 이삭을 줍기 위해 구부리고 있던 허리를 폈다. 그러고는 모처럼 하늘을 우러르고서 대꾸했다.

"나도 다시 태어난 것 같다. 하늘도 새롭게 보이고 땅도 새롭게 보이고 풀도 나무도 다 새롭게 보인다. 이제야 이 세상의 이 모든 것들이 왜 있는지를 안다."

"왜 있어요, 마님?"

여인은 간난이를 건너다보며 빙그레 미소 지었다.

"서로를 위해주기 위해서다."

다시 허리를 구부려서 이삭을 주우며 말했다.

"참 고맙게도 시원한 바람이 불어주는구나. 나두 옥에 갇혀 있는
사람들에게 이런 바람이 되어야 할 텐데……."

이날부터 여인은 부지런히 들로 나다녔다. 남의 논에 모내는 일도
하러 다녔고 남의 콩밭에 김매는 일도 하러 다녔다. 그리하여 품삯 대
신 받은 양식으로 주먹밥을 지어 딸편에 들려 옥으로 보내곤 했다.

딸이 옥에 밥을 날라다주고 온 저녁이면 여인은 물었다.

"밥을 안으로 들여 먹더냐? 아니면 밖에 내어 먹더냐?"

그러면 딸은 거의가 안으로 들여 먹더라고 대답했다. 그것은 여인
이 지극히 바라는 정경이었다. 비록 적은 밥일망정 죄우들이 오손도
손 모여 앉아서 식사기도도 하고 서로 더 먹으라고 권하기도 하는 인
정이 있기 때문이다.

그러나 간혹 딸은 옥 안의 사람들이 밥을 밖으로 내놓고 먹더라고
하기도 했다. 그것은 옥 안의 살벌함을 말하는 것이다. 옆엣사람도 믿
을 수 없어 하고, 나눌 마음은커녕 빼앗길까봐 밖에 내어놓고 먹는 것

이기 때문이다.

여인은 딸한테 일러주었다.

"사람이 선하자면 하늘의 천사 못지않지만 악하자면 짐승보다도 더하단다."

어린 딸은 눈을 동그랗게 뜨고 물었다.

"어머니, 그럼 여우보다도 더 못되었어요?"

딸은 언젠가 공동묘지에서 굴을 파 수의를 끄집어 내놓는 여우한테 질린 모양이었다.

"못되었고 말고, 여우보다도 못된 포졸을 나도 만난 적이 있어."

여인은 딸의 등을 가만히 쓸어안았다.

뒷산에서 승냥이 울음소리가 들려왔다.

그렇게 여름은 땡볕과 승냥이 울음소리와 장마비와 함께 머물다가 갔다. 그리고 살랑거리는 가벼워진 바람과 부엉이 울음소리와 단풍비와 함께 가을이 머물다가 겨울바람에 쫓겨 사라졌다.

겨울이 오면서부터 여인의 몸은 눈에 띄게 무거워졌다. 농한기라 아랫마을의 일거리도 없어져 밥을 먹는 끼니보다 굶는 끼니가 늘어갔다. 엎친 데 덮친 격으로 움막마저도 걸인이 나타나 비워달라고 했다.

여인은 할 수 없어 남매를 친정에다 맡기고 간난이와 함께 남의 집 허드렛일을 보아주며 밥도 얻고 잠자리도 얻었다. 부잣집에 잔치가 있으면 사나흘 묵기도 하였지만 하룻밤을 자고 나면 이튿날 잠자리가 불안한 나날이었다.

아아, 겨울이란 입을 것, 먹을 것, 집 없는 사람들에게 얼마나 서러운 계절인가. 손발은 오그라붙고 허기가 져 눈은 자주 감기고…… 그런데도 태중의 아이는 나 여기 있어요, 나 여기 있어요 하고 외치듯 꾸물댄다.

여인은 볕이 잘 드는 남의 집 토담 밑에서 해바라기를 하였다. 점심 먹을 때가 되었는지 담 안쪽의 집 안에서는 그릇소리가 흘러나왔다. 된장국을 끓이는지 된장국 냄새도 솔솔 콧속으로 흘러들었다.

여인은 일어나보려고 했다. 그러나 몸이 무거워 일으켜지지가 않았다. 문득 여인은 이대로 잦아져버리면 좋겠다는 생각을 했다. 눈이 녹듯이, 그렇다, 그렇게 조용히 풀어 헤쳐져버린다면 얼마나 좋을까.

여인은 안개가 서린 듯 뿌옇고 아득한 저 앞에 자신의 처지와 똑같은 여인이 떠오르다가 사라지는 것을 보았다. 임신한 몸이었고, 정처 없는 봄에 삵수린 모습이었다.

저이가 누구일까 하고 여인은 생각해보았다. 알 것도 같은데 영 떠오르지 않았다. 여인은 저이가 누구인지 알아내지도 못하고 죽는구나 했다. 그런데 이때 누군가가 여인의 몸을 흔들었다.

"마님! 마님! 정신차리세요."

"…… 누…… 누…… 누구……."

"저예요! 마님, 간난이예요. 어서 정신차리시고 이 미음 잡수세요. 옹기장수 할머니한테서 얻어왔어요."

여인은 입을 가까스로 벌려서 간난이가 떠먹여주는 죽을 받아먹었다. 여인의 눈이 다시 열렸다. 맞은편에 돌담이 보였고 그 너머로 청량한 겨울 하늘이 보였다.

여인은 문득 안개 속인 듯 아득히 떠올랐다가 사라진 그이를 생각했다. 그래, 그이도 임신한 몸이었고, 정처 없는 몸에 굶주린 모습이었지.

여인은 고개를 제껴서 하늘을 우러러보았다. 감나무 빈 가지가 지나가는 겨울바람에 흔들리고 있는 것이 보였다.

"아아!"

여인의 입에서는 환호성이 터져 나왔다.

청량한 겨울 하늘을 배경으로 위로 솟고 좌우로 뻗친 감나무 가지가 언뜻 십자가로 비친 것이다.

여인은 비로소 자신과 비슷한 처지의 그이를 생각해냈다. 임신한 몸에 정처 없는 몸에, 그렇다, 성모 마리아시다.

간난이가 헌 옷 보퉁이를 들고 일어나며 말했다.

"마님, 일어나세요. 건넛마을에 잔칫집이 있다는 말을 들었어요. 거기 가면 우리가 할 일이 있을지 몰라요."

여인은 두 무릎에다 두 손을 짚고 일어나며 말했다.

"그럼, 일어나야 하고 말고. 그이가 한 고생에 비하면 나는 아무것도 아니다."

"그이가 누군데요, 마님?"

"성모님이시다."

여인은 정말 엄동설한의 북풍에도 까딱하지 않았다. 오히려 성가를 흥얼거리는 입가에 발그레한 기쁨의 기운이 어려 있었다.

들을 지났다. 내가 나타났다. 물은 꽁꽁 얼어 있었다. 내를 건너던 여인은 얼음 밑을 가만히 내려다보았다. 얼음 밑으로 흐르는 맑은 냇물, 그 속에서 놀고 있는 작은 붕고기가 보였던 것이다.

여인은 부풀어올라 있는 아랫배에 손을 얹고 속삭였다.

'그래, 아가야. 내 비록 이 얼음 같은 세상에 살고 있지만 너는 저처럼 맑음 속에 있어다오. 그리하여 네 세상에는 제발이지 봄이 와서 물 위로도 한번 뛰어보는 세상살이이기를 바란다.'

여인은 산 아랫길로 접어들었다. 해가 설핏 시산 위로 기울 무렵이었다. 여인은 서서히 아랫배의 통증을 느꼈다.

"간난아, 아무래도 이상하다. 이 근처 어디에 몸 풀 데가 있는지 알아보아라."

간난이의 얼굴이 하얗게 변했다.

"마님, 이곳은 마을에서 한참 떨어진 외진 곳인데요. 마님, 어쩌면 좋아요?"

"성모님도 마구간에서 아기 예수님을 보았어. 농막이라도 없는지 어서 찾아봐."

여인을 잔솔밭에 앉히고 허둥지둥 달려간 간난이가 이내 돌아왔다.

"마침 여기에서 얼마 떨어지지 않은 곳에 옹기 굽는 가마가 있어요. 아쉬운 대로 거기로 가요."

"아쉬운 것이 아니야. 하느님이 인도해주신 고마운 곳이다. 옹기를 굽는 사람 가운데는 숨어 지내는 우리 교우가 많거든."

여인은 무거운 몸을 이끌고 옹기가마 있는 데로 갔다. 다행히 옹기를 빚고 말리는 빈 움막이 있어 여인은 그 안 구석에서 간난이가 주워온 짚단을 깔고 몸을 뉘었다.

이날 밤, 여인은 하늘의 별들이 내려다보는 그 움막 짚단 속에서 아들을 낳았다. 이 아들이 김수환 추기경의 아버지인 김영석(광산 김씨)이며, 이 글에 지금까지 나온 여인은 추기경의 할머니인 강말손(진주 강씨)이다.

이름 없는 별들

　　소년은 어머니가 잡으라고 한 대로 빨래한 옷자락을 붙들고 있었다. 마당 가운데는 모깃불이 모락모락 연기를 내고 있었고, 앞들에서 우는 뜸부기 울음소리가 간혹 뜸북뜸북 들려오고 있었다.

　　어머니의 다리미가 소년이 붙들고 있는 옷자락 위를 천천히 누비고 다녔다. 다리미의 숯불을 바라보고 있던 소년이 고개를 들고 입을 열었다.

　　"어머니, 우리 정말 서울로 가는 거예요?"

　　어머니는 다리미 잡은 손을 쉬지 않으면서 대답했다.

　　"그럼, 가야 하고 말고. 뮈델 민신부님하고 로벨또 김보록 신부님이 불러주셨으니 즐거운 마음으로 가야지."

"어머니, 그 신부님들은 왜 우리한테 그렇게 마음을 써주시죠?"

"글쎄다…… 너희 아버님이 순교하시고 우리가 이렇게 집도 절도 없이 흘러다니며 사는 것이 불쌍하게 보였는지 모르겠구나."

소년은 다시 우는 뜸부기 울음소리에 가만히 귀를 모으고 있었다. 뜸북거리는 소리가 그쳤다. 구름 뒤에 숨었던 달이 나타났다.

소년이 또다시 입을 열었다.

"어머니, 우리 아버님의 함자는 어떻게 되시죠?"

"클 보(甫)에 솥귀 현(鉉)자시지."

"언제 어떻게 되셨는지, 아버님에 대해 말씀해주실 수 있으세요?"

어머니는 다리미질한 옷들을 차곡차곡 개켰다. 아직 남은 다리미의 숯불을 물을 뿌려 끄고는 소년한테로 돌아앉았다.

"그래, 이야기해주마. 이리 가까이 오너라."

다가온 소년을 어머니가 안아서 무릎 위에 뉘었다. 그러고는 달빛 속에 드러난 건너편 산능선을 바라보며 입을 열었다.

"그 엄청난 박해를 가리켜 사람들은 병인대교난이라고도 하고 병인박해(1866년)라고도 한다. 그러니까 네가 태어나기 3년 전인 병인해에 폭풍이 휘몰아친 거지. 그 폭풍우란 다름 아닌 나라 조정에서 우리 천주교인들을 모조리 잡아들이라는 포고령이었단다. 우리는 그런데로 한 이태 동안은 숨기고 살 수 있었지. 그런데 배교한 교우의 밀고로 3년째 되던 해 이른 봄에 발각되고 말았어. 그것도 한마을에 살던 일가 여덟 가구 식구들이 모두 고기 두름 엮듯이 묶여서 잡혀갔지."

어머니는 숨이 찬지 한동안 쉬었다. 소년은 밤하늘을 바라보았다. 주렁주렁한 별 가운데서 유성 하나가 꼬리를 풀었다. 어머니가 다시 말을 이었다.

"청천벽력이라는 말이 있다. 맑게 갠 하늘에서 생각지도 않은 벼락이 친다는 말인데 우리 처지가 정말 그러하였다. 하루아침에 묶인 몸이 되어 칼을 쓰고 고문을 받는 험한 옥살이를 생각해보이라……."

어머니는 손등으로 눈 밑을 누르고 가만히 있었다. 소년도 울고 있는지 무릎이 축축해져 오는 것을 어머니는 느꼈다.

"우리 아버님도 고문을 당하셨어요?"

"그렇지, 양쪽에 늘어선 형리 네 명씩이 쉴 새 없이 매질을 해내있이. 그것도 부족하여 나중에는 주리를 틀고 옷을 벗기고 손발을 묶은 다음 거꾸로 매달아 놓기도 하였고…… 그런데 우리를 취조한 현감은 그래도 국법을 알더구나. 열 살 이하의 아이들과 임신한 부인은 내보내주었거든. 그러나 어떤 곳에서는 어린 아이고 임신한 부인이고를 가리지 않고 처형했다고 하더구나."

소년이 팔을 들어 하늘을 가리키면서 말했다.

"어머니, 하늘의 별이 더 많아 보여요."

"정말 그렇구나…… 저 하늘의 별처럼 이름 없는 분들이 너무도 많이 돌아가셨다. 망나니를 시켜서 목을 베는 일도 귀찮아 들보 두 개를 포개서 만든 것으로 위에 있는 들보가 밑에 있는 들보 위로 떨어지게 해서 한꺼번에 스무 명 정도의 목을 으스러뜨려 죽이곤 했지. 구덩이를 파서 한꺼번에 많은 사람들을 포개어 넣고 그 위에 흙과 돌을 쌓아 매장하기도 하였고."

"어머니, 그럼 우리 아버님은 어떻게 돌아가셨지요?"

"글쎄, 그것을 분명히 알지 못한 내 죄가 크다. 여름 장마가 끝났을 때 옹기가마 일을 마치고 옥에 면회를 가보니 이감을 가고 없지 뭐냐? 어떤 형리한테 들으니 합덕으로 갔다고 하던데 또 어떤 사람은 공주로 갔다고도 하고, 나중에는 서울로 압송돼갔다는 말까지 나왔었어. 만일 합덕으로 가셨더라면 생매장을 당해 돌아가셨을 것이고 공주로 가셨더라면 교수형을 당하셨을 것이다. 그런데 서울 포졸들한테 압송돼간 김씨 성을 가진, 본명이 요왕인 분이 옥에서 굶어죽었다는데 아마도 내 생각에는 그분이 너의 부친인 것 같다."

이제까지 어머니의 무릎을 베고 있던 소년이 일어나 앉았다.

"어머니, 왜 그렇게 분명하지 않지요?"

어머니는 소년을 가슴에 쓸어안고 부채로 달려드는 모기를 쫓아내며 말했다.

"잡혀가서 죽은 사람이 흔둘이어야 말이지…… 우리 마을 일가만 해도 쉰 사람이 넘으니 얼마나 많은 교인들이 죽었겠느냐? 그러다보니 관가의 문서도 믿을 것이 못 되고 전해주는 사람들 역시 서로가 헛갈리는 것이야. 형장에서 날마다 목이 잘려 널리는 시체만도 누가 누군지 알아보기가 어려웠지. 다만 밤이면 숨어 있던 교우들이 몰래 나타나 누구인지를 확인할 겨를도 없이 시신을 수습하여 땅에다 묻는 것만으로 위로를 삼는 세상이었단다."

참고 있던 소년의 울음이 조금씩 새어 나왔다. 어머니는 소년의 등을 가만가만히 두들기었다.

"울지 마라, 이 세상살이란 울다보면 눈물 마를 새기 없는 것이다."

구름을 향해 흘러가고 있는 달을 바라보는 어머니의 눈에도 눈물이 고였다. 한동안 뜸하던 뜸부기가 다시 울었다. 소년이 어머니의 손바닥에 뺨을 대며 물었다.

"어머니, 우리 아버지는 어떤 분이셨어요?"

"속이 깊으신 분이었어. 빈말이 없으시고 인정이 많으셨고."

"얼굴은요?"

"거울을 보면 된다. 네 얼굴이 너희 아버지 얼굴 그대로니까."

"어머니, 옥살이 할 때 어떤 것이 가장 견디기 어려웠어요?"

"그거야 잠을 못 자게 할 때였지. 머리 좋은 포졸이 잠을 못 자게 하면서 자게 해줄 테니 배교하라고 했었는데 그때가 가장 견디기 어렵더구나. 그리고 갇혀 있는 우리한테는 먹을 것을 주지 않고 포졸들이 자기들끼리 맛있게 밥 먹는 것을 볼 때도…… 그런데 너희 아버지는 끄떡하지 않고 참아내더구나.”

소년은 박쥐가 너울너울 날아가는 것을 보았다. 박쥐한테 주먹질을 하며 소년이 말했다.

“어머니, 아버지는 얼마나 밖으로 나와 살고 싶었을까요?”

“그러나 너의 아버지는 눈감으면 더 넓은 세상이 보인다고 하셨다.”

“어머니, 세상은 눈을 떠야 보이지 않는가요?”

“우리가 눈을 뜨고 보는 세상은 인간의 세상이지 천주님의 세상이 아니다. 천주님의 세상은 육신의 눈으로 보는 것이 아니고 마음의 눈으로 보는 것이지. 그러니까 너희 아버지는 육신의 눈을 감고 마음의 눈을 떠서 천주님의 세상을 보신 것이야.”

“어머니, 나도 천주님의 세상을 보고 싶어요. 그런데 조금 전에 눈을 감아보니 캄캄하기만 하던 걸요.”

“너도 너희 아버지만큼 열심으로 천주님을 바라면 보게 될 것이다.”

소년은 또 한 번 눈을 감았다. 다시 눈을 떴다. 또 감고 또 뜨고, 그러다 말고 소년이 불쑥 말했다.

“어머니, 천주님의 세상은 아직 안 보이지만 별이 많은 것은 보여요. 혹시 우리 아버지도 저 별 가운데 하나로 앉아 계시는 것이 아닐까요?"

어머니도 밤하늘의 별한테로 눈을 주었다. 달이 산 너머로 져서인지 별들이 더 많아 보였다. 어머니는 아들의 머리를 쓰다듬으며 말했다.

"그래, 너희 아버지는 저 하늘의 별로 앉아 계실 것이다. 아니 너희 아버지뿐만이 아니고 천주님을 바라고 죽은 분들은 모두 별이 되었을 것이다."

소년은 어느덧 잠 속으로 들어가고 있었다. 어느 집에서인지 개가 짖다가 그쳤다. 어머니는 아들을 안고 방으로 들어갔다. 그러나 그 방의 등잔불은 먼동이 틀 때까지 문창호를 밝히고 있었다.

소년이 오줌이 마려워 잠을 깼다. 희미한 등잔불 아래 무릎을 꿇고 앉아 있는 어머니를 보았다. 기도를 하고 있는 것이리라.

소년은 발부리 걸음으로 마루로 나왔다. 바지를 끌어내리고 오줌을 누려는데 방으로부터 어머니의 기침소리가 큼큼큼 울려왔다. 토방에다 오줌을 누지 말고 변소로 가라는 기침소리 전갈이었다. 소년은 할 수 없이 짚세기를 끌고 대밭 언저리에 있는 변소로 갔다.

바람이 대밭을 휘젓고 다니는 소리가 우수수 우수수 났다. 소년은 무서웠으나 어깨를 폈다. '나는 아버지의 아들이야' 하는 생각을 했다. 아버지는 감옥도, 고문도, 죽음도 이겨냈다고 하지 않았는가. 그러자 대밭 바람이 댓가지를 흔들면서 '그렇고 말고, 그렇고 말고' 하는 것 같았다.

소년은 어서 어머니한테로 가서 말하고 싶었다. '어머니, 나도 마음을 한번 알았어요. 무섭다고 했을 때는 도깨비 울음소리처럼 들리던 바람소리가 마음을 바꾸니까 천사님 말소리처럼 들리는 것이었어요' 라고.

그러나 소년이 토방에 이르렀을 때부터 어머니의 기침소리가 흘러나왔다. 먼젓것은 일부러 내보는 것이었으니 이번 것은 앓고 있는 병석의 기침이었다. 기침은 숨을 못 쉬게 한참이나 계속되었다. 어머니는 끌어안은 베개에 땀까지 흠뻑 적시고서야 간신히 기침을 멈추었다.

안타까운 눈빛으로 쳐다보고 있는 아들을 향해 어머니가 말했다.

"날이 새려면 아직 멀었으니 어서 더 자거라."

"어머니."

"왜 그러느냐?"

"어머니의 그 병은 언제 낫지요?"

"글쎄다…… 이 병으로 천주님께서 날 부르실지도 모른다."

"그러면 저는 어떻게 살아요?"

"교회에 의지하고 살아야지. 신부님들이 도와주실 거야. 그래서 서울로 올라가려는 거지. 그리고 언제 또 어려운 일이 일어날지 모르니 옹기 빚는 일을 익히거라. 그 일을 하는 사람들 중에는 피난한 우리

교인들이 많으므로 도움을 받을 수 있을 거야……"

과연 소년의 어머니는 자신이 내다본 대로 서울에 온 지 3년 만에 그 병으로 죽고 말았다.

홀로 된 소년은 뮈델 민신부와 로벨또 김보록 신부 밑에서 잔심부름을 하며 성장해 청년이 되었다. 그동안 옹기꼴을 찾아 들어가서 옹기 빚는 일을 하기도 했고, 때로는 서양 선교사들이 가져오는 양약인 금계랍 장사를 하리 영남지방을 드나들기도 하였다. 그때만 해도 학실이 많던 때였는데 염산 키니네인 금계랍은 백발백중 특효가 있어서 인기였다.

청년이 서른한 살이 되던 해 여름이었다. 대구에 내려간 청년을 대구 전주교회 로벨또 김보록 신부가 불렀다.

로벨또 신부는 사제관 앞뜰에 피어 있는 봉숭아꽃을 바라보면서 입을 열었다.

"조선 여인들이 좋아하는 꽃이지요?"

"네, 그렇습니다."

"지난 봄에 여기에 이 봉숭아 꽃모종을 가져와 심어준 처녀가 있어요."

청년은 이 프랑스인 신부가 왜 갑자기 이런 말을 하는가 싶어 의아한 표정으로 신부를 건너다보았다. 신부는 그제서야 봉숭아꽃한테서 청년한테로 시선을 옮겼다.

"신심이 깊은 서씨 집안의 따님이어요. 이름은 중화라고 하고 본명은 말지나지요. 이 집안에는 동정이라는 말지나의 오빠 되는 분이 있지요. 이 사람은 이름 그대로 동정을 지키며 천주님을 믿고 살겠다고 하는 식자인데 이 오빠가 동생을 그렇게 칭찬하는 거예요. 집안의 왕대라구요."

부끄럼에 얼굴이 봉숭아꽃 빛으로 발그레 물들어 있던 청년이 반문했다.

"왕대라는 뜻이 무엇인지……?"

"마음이 왕대처럼 열려 있고, 곧고, 푸르고, 듬직하다는 것이겠지요. 어때요? 내가 주선할 테니 선을 보지 않겠어요?"

"저는 가진 것이 너무 없습니다. 재산도 없고, 양친도 계시지 않고, 나이도 많고……."

"무슨 말을 그리합니까? 순교자의 피 하나로 모든 것을 덮을 수 있습니다. 그리고 요셉이 어려서부터 내 곁에 있었기 때문에 누구보다도 사람 됨됨이를 내가 잘 알고 있습니다. 걱정 말고 처녀를 보기나 하십시오."

이렇게 하여 서른한 살 김영석은 열일곱 살 서중화와 대구에서 혼인을 하였다. 그러고는 옹기업을 생업으로 삼아 왜관의 장자골과 평장목, 김천의 신나물골과 지대골로 옮겨다니며 살았다. 때로는 농사를 약간 짓기도 하였으나 토지가 없는 관계로 소출은 늘 미미하였다.

　그동안에 세월은 흘러 장녀 명례, 차녀 명영, 장남 달수, 차남 필수
가 태어났다. 그런데 김천 지대골에 살 때였다. 산모가 또 아들을 낳
자 아기 아버지는 김천장에 나가서 미역과 고기를 사들고 총총걸음으
로 집으로 돌아오고 있었다.

　이들은 그해(1919년, 기미년) 서울 탑골 공원에서부터 불기 시작해서
방방곡곡으로 번지고 있는 '대한독립 만세' 이야기를 하고 있었다.

　이때 뒤에서 "여보시오, 여보시오" 하고 부르는 소리가 있어 돌아
보니 스님이었다. 스님이 다가와 아기 아버지한테 일러주었다.

　"보아하니 아들을 얻었는가 본데 이름을 동한이라고 하시오. 이 다
음에 덕망 있는 수도자가 될 것이오. 그리고 다른 아들을 또 보게 되
면 그 아들은⋯⋯."

　아기 아버지는 스님의 말을 더 좀 듣고 싶었으나 장에 함께 갔던 일
행이 앞에서 빨리 가자고 부르는 통에 그 자리를 뜨고 말았다.

　일행 가운데 한 사람이 물었다.

　"아, 김씨는 천주교를 믿으면서 스님 말을 왜 그렇게 귀기울여서 듣
고 있는 거요?"

　아기 아버지는 빙그레 미소를 지으며 대답했다.

　"스님이 이상한 말을 해서요."

"무슨 말인데?"

"글쎄, 아들을 낳았겠다고 알아맞히고선 이름을 지어주지 뭡니까. 수도자가 될 거라며."

그러나 이 말을 들은 아이 어머니는 펄쩍 뛰었다.

"아니, 그 스님이 말한 수도자란 중일 텐데 나는 내 아들이 중이 되게는 하지 않겠어요. 신부라면 모르겠으나……."

"이런 답답한 사람 같으니라구!"

"내가 왜 답답해요? 그런 말을 옳거니 하고 들은 당신이 답답하지."

"이 사람아, 스님이 말하는 수도자는 물론 중이겠으나 우리 천주교에서는 신부님을 수도자라고 하지 않는가 말이야."

"……"

"당신도 언젠가 말했지. 우리 아들 가운데서 신부가 되는 아들이 생기면 얼마나 좋겠냐고."

"그건 정말이에요."

"그런데 내가 조금 아쉬운 것은 스님이 더 좀 말씀해주시려고 했는데 그걸 마저 듣지 못한 거야."

"왜 듣지 못하셨어요?"

"앞에 가고 있던 박씨가 어떻게나 채근해대던지…… 뭐라 하더라, 다음에 또 아들을 낳으면 하고 무슨 말인가를 하려고 했었는데 그만……."

그러자 아기 어머니는 얼굴을 붉히면서 일어나며 말했다.

"아니, 내 나이가 지금 얼만데 또 아기를 뵈요. 망령드셨나봐."

기실 아기 어머니 나이는 그해 서른일곱 살이었기 때문에 이웃에서도, 집안에서도 다들 막내를 낳았다고 생각하고 있던 터였다.

그런데 신기하게도 아기 동한이가 세 살이 되던 해에 태기가 또 있었다. 마침 결혼한 큰딸 또한 임신해서 배가 부르고 있었으므로 아기 어머니로서는 여간 부끄러운 일이 아니었다. 그렇다고 해서 이미 들어선 태아를 물릴 수도 없는 일이었다.

해를 넘기면서 아기 아버지는 지대골의 기산을 정리하여 대구로 이사를 나왔다. 큰사위와 더불어 대구에 옹기가게를 차렸기 때문이었다. 이때부터 아기 어머니는 임신한 몸으로 가게 일을 돌보랴 가사 일을 꾸려가랴 눈코 뜰 사이가 없이 바빴다. 그러나 아기 어머니는 이떠한 일이 있어도 주일에 성당 나가는 것만은 빠뜨리지 않았다. 태중에 있는 아기를 위해 기도할 때는 웬일인지 박하향 같은 것이 입안에 고였고 까닭 없는 눈물이 글썽거려지곤 했다.

마침내 1922년 5월 8일(음력) 산모는 아들을 낳았다. 그때 아버지 나이는 쉰다섯, 어머니 나이는 마흔한 살이었다. 이 아들이 수환, 곧 추기경이다.

노을 지는 언덕

막내는 두 귀 밑 볼이 부은 듯하고 입술이 두툼하여 뚱해 보이는 것이었으나 실제는 영 달랐다. 그저 눕혀놓으면 눕혀놓은 대로, 안아주면 안아주는 대로 검은 눈동자만 또록또록 굴릴 뿐 좀체로 울지를 않았다.

나이 들어서 낳은 관계로 어머니의 젖은 아기에게 늘 부족하였다. 그런데 다행히도 이웃에 살고 있는 큰딸이 아들을 낳았다. 그래서 막내는 누님의 젖을 얻어먹으며 자랐다.

어쩌다 어머니나 누님들이 어르면 배시시 웃기나 하고, 우는 일이 드문 이 막내 이름은 호적에는 수환으로 올렸으나 집에서는 순하다고 해서 순한이라고 불렀다. 특히 아버지는 충청도의 독특한 억양으로 "수운하안아아"라고 불러서 이웃사람들이 따라서 흉내내며 웃곤 하였다.

아이들은 자라면서 나이 층에 얹혀 더러 변한다. 순하던 아이가 떼쟁이 울보로 되는가 하면 떼쟁이가 부끄럼 타는 순한 아이로 되기도 한다. 그러나 이 집 막내는 도통 변화가 없었다. 말이 적고, 좋으면 그저 씨익 웃기나 하는.

이 막내가 세 살 나던 해에 이 집은 이불보퉁이에 솥과 식기와 옷보퉁이 몇 개만을 꾸린 채로 대구에서 선산으로 이사를 했다. 아버지가 큰아비지의 빚 보증을 섰다가 망한 것이었다. 이 충격으로 아버지가 몸져눕게 되어 이때부터 어머니가 집안의 모든 일을 처리하여야 했다.

어머니는 선산으로 이사한 다음 날부터 국화빵 굽는 기계를 사서 거리로 나가 국화빵장사를 시작했다. 아침 일찍부터 커다란 옹기항아리에 밀가루 반죽을 해서 이고, 한 손에는 막내의 손목을 잡고 읍내 공터로 나갔다. 그곳에서는 곡마단이 들어와 굿을 하고 있었기 때문에 사람들이 많이 모였던 것이다.

어머니는 첫 빵을 구워낼 때는 꼭꼭 성호를 그었다. 그러고는 그 중에서 잘 익은 빵 하나를 골라서 막내한테 건네주었다.

"먹으려무나."

그런데도 막내는 두 손바닥 위에 빵을 받쳐들고는 내려다보고 있기만 했다.

"먹으래두."

"엄마."

"왜?"

"하느님, 감사합니다. 해야지?"

"그렇지, 그렇게 기도하고 먹어야지."

"엄마."

"왜?"

"엄마, 감사합니다. 해야지?"

"원 녀석도."

어머니의 눈에는 눈물이 핑 돌았다. 어머니는 얼른 푸른 하늘을 향해 고개를 젖혔다. 곡마단의 막이 열리는지 나팔소리가 들려왔다.

근처에서 놀고 있던 아이들이 나팔소리가 나자 휘장이 쳐져 있는 곡마단 출입구로 일제히 달려갔다. 막내도 슬그머니 일어나서 쭈빗거리며 그쪽으로 갔다. 아이들 중 몇은 땀에 젖은 돈을 내밀고서 안으로 들어가기도 했다. 그러나 막내는 이내 돌아왔다.

어머니가 구워진 빵을 들어내며 물었다.

"수환아, 너도 구경하고 싶지?"

막내는 의외에도 고개를 저었다. 그러고는 아까까지 앉았던 자리에 주저앉아 어머니 허리에 머리와 어깨를 기대었다.

어머니는 빵기계에 반죽을 부으며 다시 물었다.

"수환아, 너는 곡마단이 싫니?"

"아니야."

"그런데 왜 곡마단 구경을 하고 싶지 않다고 하니?"

"나는 곡마단보다 엄마가 더 좋아."

"원 녀석도."

어머니는 팔을 내려서 아이의 등을 쓰다듬었다.

"엄마."

"응?"

아이 편에서는 그러나 말이 없었다.

어머니가 궁금해서 물었다.

"왜 불러놓고 말이 없는 거니?"

"그냥 엄마 대답이 듣고 싶어서야, 엄마."

"원 녀석도."

"정말이야, 엄마. 나는 엄마 냄새를 맡는 것이 좋아. 엄마를 보는 것이 좋고."

바람이 불어서 떨어져 있는 나뭇잎을 굴려올 뿐 어머니와 아이가 지켜보고 있는 국화빵 파는 데는 손님이 없었다. 저쪽 길가 편에 있는 국화빵 파는 곳에만 사람들의 발길이 닿고 있었다.

어머니는 무료하여 막내한테 말을 시켰다.

"수환아."

"네."

"엄마가 좋으면 엄마가 좋아하는 분도 수환이가 좋아하겠지?"

"엄마는 누굴 좋아하는데?"

오랜만에 막내가 검은 눈동자를 또록또록 굴렸다.

"엄마가 좋아하는 분은 다른 분이 아니고 천주님이시단다."

막내의 얼굴이 온통 소리 없는 웃음꽃이 되었다. 모처럼 빵을 사려고 소녀가 하나 와서 손을 내밀었다. 어머니는 두 손으로 돈을 받고 두 손으로 빵을 내밀어 주며 말했다.

"고마워요. 맛있게 먹어요."

소녀 손님이 돌아가자 어머니가 아이를 돌아보며 물었다.

"수환아, 너는 엄마를 얼마만큼 좋아하니?"

막내는 두 팔을 한껏 벌려 보이며 말했다.

"하늘만큼 땅만큼."

어머니도 두 팔을 한껏 벌려 보이며 말했다.

"나도 천주님을 하늘만큼 땅만큼 좋아한다."

막내의 얼굴은 다시 소리 없이 웃음꽃이 되었다. 하늘에서도 발그레히 꽃물이 번졌다. 노을이었다.

어머니는 주섬주섬 주변을 정리했다. 빵틀의 숯불을 끄고 팔다 남은 빵을 종이에 쌌다.

막내가 어머니의 치맛자락을 잡고 흔들었다.

"임마."

"왜?"

"내한테 빵 한 개만 줘요."

"네가 먹으려고?"

"아니야, 엄마. 저기에 저 아이한테 주려고."

막내의 손가락 끝이 가리키고 있는 담 밑에는 옷이 남루한 아이 하나가 쪼그리고 앉아 있었다. 신발도 신지 않은 채 맨발로 있는 것으로 보아서 얻어먹고 다니는 아이 같았다.

막내는 어머니가 건네주는 빵을 가지고 달려갔다. 아이의 손 위에 빵을 놓아주고는 이내 돌아왔다. 어머니는 혼자 중얼거렸다.

"원 녀석도."

어머니는 빵이며 밀가루며 도구를 챙겨서 머리에 이고 어둠이 내리기 시작하는 밤길을 걸었다. 막내는 어머니의 치맛자락을 잡고 종종종 따라왔다.

"이젠 이 국화빵 굽는 일을 그만둬야 할까보다."

"왜 엄마?"

"한 군데서 두 집이 장사를 하다보니 두 집 다 밥 굶게 생겼다."

"그러면 우리는 무엇을 하지, 엄마?"

“행상을 해야 할까보다. 등잔기름도 이고 다니며 팔고, 참기름도 이고 다니며 팔고.”

“그러면 엄마, 나 안 데리고 다닐 거야?”

“그럼 걸어서 다니는데 어린 네가 어떻게 따라다니니?”

“엄마, 안 업어 달랄게. 날 데리고 다녀줘.”

“이렇게 엄마를 떨어져 있지 않으려니 큰일났네.”

어머니와 막내는 묵묵히 걷기만 했다. 하늘의 별이 하나둘 나타나기 시작했다. 가로수의 가는 나뭇가지가 새가 옮겨 앉는지 잠시 흔들거렸다. 막내가 붙들고 있는 어머니의 치맛자락을 흔들면서 불렀다.

“엄마.”

“왜?”

“장사 다닐 때 나 데리고 다닐 거지?”

“글쎄다…….”

“다리 아프다고 안 할게 엄마.”

“넌 왜 엄마를 한사코 따라다니려고 하니?”

“엄마가 좋으니까, 그리고…….”

“그리고?”

“고개 너머를 다녀볼 수 있으니까.”

“고개 너머를 다녀보는 것이 좋으니?”

“응, 엄마. 나는 늘 궁금하고 가보고 싶어. 고개 너머에 누가 사는지.”

“고개 너머, 고개 너머에 누기 시는지…… 그래 그렇다면 나랑 함께 다녀보자. 누가 사는지…….”

일요일이 한 번 지나가면서 어머니는 국화빵을 구워서 파는 장사에서 이것저것을 머리에 이고 다니면서 파는 행상으로 변했다.

막내는 어머니를 따라나서고자 아침에 잠이 깨면 번쩍 눈을 뜨곤 했다. 그러나 어머니는 보이는 날보다 안 보이는 날이 더 많았다. 어머니는 이미 새벽밥을 해서 방 윗목에 상보를 덮어놓은 다음, 장사를 떠나고 없는 것이었다. 그런 날은 바로 위 동한형과 함께 놀면서 어머니가 돌아오는 저녁때를 기다렸다.

형제는 자치기를 하였다. 땅따먹기 놀이도 하였다. 아카시아 잎줄기를 따와서 가위바위보를 해 아카시아잎 떨어뜨리는 놀이도 히였다. 그러다 심심하면 수탉이 홰를 치며 우는 것을 흉내내기도 했고, 꽃에 앉은 나비를 잡으러 다니기도 했다.

형제는 한낮이면 먼데 고갯길이 내다보이는 정자나무 그루터기에 앉아서 어머니가 어디쯤을 가고 있을까 이야기하곤 했다.

“형, 엄마는 저 고개 너머 어디에 있을까?”

“고개 너머, 고개 너머 마을을 지나고 있을 거야.”

“거기는 어떤 사람이 살고 있을까?”

"우리와 똑같은 사람이겠지 뭐."

"형, 나는 가보고 싶어."

"고개 너머에 가면 또 고개가 있는 거야."

"그래도 나는 가보고 싶어."

마침내 막내한테 고개 너머를 가볼 수 있는 기회가 왔다. 그날 아침에 눈을 떴을 때 마침 어머니가 출발을 않고 있었다. 막내는 팔 물건을 소쿠리에 담아 이고 나서는 어머니의 치맛자락을 붙들고 따라 나섰다.

형이 말해준 대로 고개 너머에는 또 고개가 있었다. 그 고개를 또 넘었을 때 넓은 들이 나타났고 들 가운데로는 넓은 강이 흐르고 있었다. 그리고 강 위로는 기다란 철교가 있었고 철교 너머에는 집들이 많은 마을이 있었다.

철교에 이르른 어머니가 말했다.

"수환아. 건널 수 있겠니?"

"엄마, 무서워."

"물건이 무거워서 널 업을 수도 없는데."

"엄마, 아래에 흐르는 강물이 무서운걸."

"하늘을 보렴. 아래를 보고 건너려면 무섭지만 하늘을 보고 건너면 무섭지 않아."

"엄마, 하늘을 보니까 정말 안 무섭네. 왜 그럴까?"

"천주님이 계시는 곳이어서 그렇단다."

막내는 엉금엉금 기어서 다리를 건넜다. 나무 사이로 보이는 아래 강물이 무서우면 얼른 고개를 들어서 하늘을 보곤 했다. 그러면 부들부들 떨리는 팔다리에 다시 힘이 생기었다.

그날 막내는 하늘을 바라보면 무서울 것이 없다는 것을 처음으로 알았다. 하늘이 푸르르면 푸르른 대로, 흰구름이 떠 있으면 떠 있는 대로 하늘은 아늑하기만 했다. 어쩌다 먹구름이 끼고 비바람이 몰려드는 날이 있기는 하였지만, 그러나 그런 날은 하늘을 보면 꾸중하실 때의 아버지 얼굴을 보는 것 같아 마음이 공손해지는 것이었다.

막내는 어머니한테 물었다.

"엄마, 하느님의 마음은 파랄 거야. 그지?"

"어째서 그럴 거라고 생각하니?"

"하늘이 파라니까."

"원 녀석도."

"엄마."

"왜?"

"하느님은 참 좋으신 분이지?"

"어째서 그런 생각을 하였니?"

"하늘에서 좋은 것을 다 보여주시잖아. 해님, 달님, 별님, 무지개님…… 그리고 또 비도 내려주시고, 눈도 내려주시고."

"그래, 그래. 하느님은 좋으신 분이고 말고."

어머니는 막내의 얼굴을 가만히 내려다보았다. 보통 때는 그저 뚱하니 말이 없는 저 아이의 어디에서 이런 말이 나오는 것일까 하고.

막내는 어머니의 눈빛하고 마주치자 까만 눈동자를 끔벅 하고서 눈에 웃음을 담았다. 하늘에도 미소가 흐르는지 하얀 구름이 두둥실 떠 있었다.

이튿날도 어머니는 행상을 나갔다. 막내가 아침 잠자리에서 일어나 어머니를 찾았을 때는 이미 떠나고 없었다. 막내는 여느 날과 마찬가지로 형을 따라다니며 놀았다. 동네 아이들은 일본 아이들이 다니는 소학교 옆 빈터에서 공을 차며 놀고 있었다. 축구공은 구경하기가 어렵던 시절이었다. 아이들은 대개 어쩌다 구할 수 있는 고무공을 가지고 놀았는데 이 고무공마저도 발에 대기가 쉽지 않았던 때였다. 신발이 없어 맨발로 공을 차는 아이도 있었다.

그런데 이날은 한 아이가 돼지를 잡는 어른들 사이에 있다가 돼지 오줌보를 얻어 가지고 왔다. 아이들은 거기에 바람과 물을 반반씩 넣어 가지고 축구경기를 하였다. 거기에 막내는 어려서 끼지 못하고 형이 공을 쫓아다니며 차는 것을 구경하고 있었다. 어쩌다가 돼지오줌보공이 쪼그리고 앉아 있는 제 앞으로 굴러오면 살짝 한번 차보는 것이 고작이었다.

형이 찬 공이 아무도 없는 골문 있는 데로 데굴데굴 굴러갔다. 그것을 보고 키가 크고 몸집이 큰 소년이 날쌔게 달려가더니 힘차게 발질을 했다. 그러자 공은 어느 내보다 높이 떠올랐다. 막내는 '아' 하고 환성을 질렀다. 돼지오줌보공이 건너편 일본사람 소학교 담장을 넘어가버리지 않은가.

공을 차던 아이들 중에서 한 아이가 일본사람 소학교로 들어갔다. 나머지 아이들은 교문 밖에서 아이가 공을 찾아 가지고 나오기를 기다리고 있었다.

갑자기 일본사람 소학교 운동장으로부터 떠드는 소리가 들려왔다. 일본 아이들이 공을 찾으러 온 조선 아이를 둘러싸고서 놀려대는 소리였다.

"야, 이게 무슨 공이야?"

"너희는 이런 것을 공이라고 차고 노니?"

"그게 무언데 그래?"

"돼지오줌보래."

일본 아이들은 와 하고 웃었다.

막내는 숨을 거칠게 쉬고 있는 형의 손을 잡아 흔들며 물었다.

"형, 저 아이들은 누구야?"

"일본사람들 자식이야."

"그런데 왜 우리를 놀려?"

"업신여기기 때문이야."

"우리를 왜 업신여기는 거야?"

"우리가 나라를 빼앗겼거든."

"왜 나라를 빼앗겼지?"

형은 막내의 손을 잡고 담장 밑으로 갔다.

"형, 왜 나라를 빼앗겼느냐니까."

"집에 가서 아버지한테 물어봐."

"아버지는 한 번 말하려면 기침을 여러 번 하는걸."

"그래도 아버지가 더 잘 알으셔."

"그럼 형도 같이 가."

"나는 안 돼."

"왜 안 돼?"

"나는 싸움이 일어나면 싸워야 돼."

"누구하고 싸워?"

"일본 애들하고."

"나도 형 따라서 싸울래."

"넌 어려서 안 돼. 어서 집으로 가."

"싫어, 안 가고 여기서 나도 일본 애들하고 싸울 테야."

형은 막내의 손을 뿌리치면서 은근히 겁을 주었다.

"너 집에 안 가면 다음부턴 데리고 다니지 않을 거야."

"정말이야. 형?"

"정말이야."

막내는 할 수 없이 놀아섰다. 두 주먹을 쥐고 달려가는데 멀리서 아버지의 해수병 기침소리가 큼큼큼 들려왔다. 정자에 나와 장기를 두면서 하는 기침이었다.

막내는 정자로 뛰어가서 아버지한테 물었다.

"아버지."

"무슨 일이냐?"

"왜 우리나라를 일본사람들이 마음대로 해요?"

아버지는 막내를 물끄러미 내려다보았다. 말이 없는 아이였다. 순하다고 해서 '순한'이라고 부르기도 하는 아이다. 그런데 이 아이의 까만 눈동자가 전에 없이 열기를 띠고 있다. 이 아이가 이렇게 분노할 때도 있구나 하고 아버지는 생각했다. 아버지는 천천히 입을 열었다.

"우리나라를 왜 일본사람들이 마음대로 하느냐 하면 우리나라 주권을 일본사람들한테 빼앗겼기 때문이다."

막내는 고개를 갸우뚱하였다.

"아버지, 주권이 뭐예요?"

"나라를 움직이는 권한이다."

"그런데 왜 그것을 빼앗겼어요?"

"우리한테 힘이 없었기 때문이지."

"왜 힘이 없었어요, 아버지?"

"그것은 차차로 알게 될 거야, 너가 좀 더 크면…… 쿨룩쿨룩……."

아버지의 기침이 다시 시작되었다. 같이 장기를 두고 있던 아버지의 친구가 막내한테 손짓을 했다. 기침 더 일으키지 말고 가라는 표시였다.

막내는 두 주먹을 쥐고 언덕을 내려왔다. 다시 형네가 있던 일본사람 소학교 옆 공터로 달려갔다. 그런데 공터에는 일본 아이들과 조선 아이들이 두 패로 나뉘어 마주 보고 있었다. 돌배나무에 앉아 있는 참새들도 소리를 내지 않고 눈망울만 굴리고 있었다.

막내는 두 패로 나뉘어 있는 아이들을 다시 보았다. 한쪽은 머리도 깔끔히 깎은 아이들이었다. 옷도 단정히 잘 입었고, 신발도 보기 좋은 것들이었다. 그러나 다른 한쪽은 머리를 땋은 아이가 있는가 하면 대부분이 더북머리이다. 옷도 남루하고, 신발은 아예 신지도 못해 맨발인 아이도 있었다.

막내는 남루한 아이들 틈에 끼어 있는 형을 보았다. 짚신을 신고 있는 이웃집 철수형도 보았다. 막내가 끼어들자 형이 다가왔다.

"아버지한테 있지 않고 왜 또 왔어?"

"아버지는 기침하고 계셔."

"그래도 거기 있어야지. 지금 여기는 싸움이 났단 말이야."

"형, 언제 싸움이 났어?"

"조금 전에 판석이가 일본 애들한테 두들겨맞았어."

"무얼 잘못해서 맞았어?"

"잘못한 건 없어. 공을 찾으러 갔는데 돼지오줌보공이라고 일본 애들이 놀린 거야. 그 중 한 아이를 판석이가 떠밀었지. 그러자 일본 애들이 한꺼번에 몰려들어 판석이를 때린 거야."

"판석이 형은 맞기만 했어?"

"아니야, 우리도 쫓아 들어갔어. 그중 한 녀석을 붙들어서 코피가 나게 두들겨주었지."

"코피가 났어, 형?"

"그래, 지금 한판 또 붙으려고 하고 있으니까 닌 집으로 가."

"싫어, 나도 싸울 테야."

"너 그럼 다음부턴 안 데리고 다닐 거야."

막내기 잠시 망설이고 있을 때였다.

돌배나무에 앉아 있던 참새들이 후두둑 후두둑 날아 오르면서 어느 쪽이 먼저인지도 모르게 '와' 하는 소리가 동시에 났다.

막내는 순간 참새가 날아와서 오른쪽 이마 위를 스치는 것 같았다. 아찔한 느낌이 일면서 땅위로 고꾸라지고 밀었다. 형의 비명소리가 아득히 들렸다.

"앗! 우리 수환이 머리에 돌 맞았다. 저 비겁한 일본놈을 잡아! 수환
아, 정신차려! 정신차려, 수환아!"

(이 날의 상흔은 추기경의 오른쪽 이마 위 머리에 남아 있다.)

달아 달아 밝은 달아

막내네는 다시 이사를 했다. 이사간 곳은 군위 용대동이라는 마을이었다. 그곳에는 큰누나네가 먼저 가서 옹기 굽는 일을 하면서 살고 있었다. 막내네는 초가삼간 오두막집을 구해 들었는데 집 위치가 비탈의 높은 곳이었다. 마을 앞으로는 작은 개울이 흐르고 있었고 건너편에는 잔솔이 많은 산이 있었다. 그 산 사이로는 신작로가 나 있어서 막내에게 어디론가 떠나고 싶은 생각이 들게 하곤 하였다.

막내는 혼자 있을 적이 많았다. 어머니는 행상을 떠나고, 아버지는 옹기가마로 가고, 형마저 학교로 가고 나면 적적하게 지내야 했다. 수탉이 홰를 치고 울면 수탉 흉내를 냈다. 공중 높이 떠 있는 소리개 흉내를 팔을 벌리고 내보기도 했다. 그러면서도 문득문득 신작로를 내다보았다. 어머니가 오나, 형이 오나 하고.

어떤 때는 큰누님집에 가서 동갑내기 조카하고 놀았다. 그림자밟기놀이도 하고, 땅따먹기도 하고, 고누를 두기도 하였다. 그러나 번번이 조카는 억지를 부렸다. 그림자를 밟혔으면서도 밟히지 않았다고 했고 한번 둔 고누를 되물리기도 하였다.

자치기를 했을 적이었다. 이번에도 건성으로 두 자를 먹어버리는 조카한테 막내는 화를 냈다.

"안 돼, 그런 엉터리가 어디 있어? 다시 재봐."

"뭐가 엉터리야? 틀림없는데."

"아니야, 틀렸어."

"안 틀렸어."

"너 삼촌한테 우길 거야?"

"삼촌이라구? 웃기네."

"삼촌한테 그렇게 막 말해도 돼?"

"조카 젖 뺏아 먹은 삼촌인데 뭘 그래?"

"내가 언제 네 젖을 빼앗아 먹었어?"

"외할머니한테 물어봐, 외할머니는 젖이 안 나와서 우리 엄마 젖을 너랑 같이 먹고 컸다는 거야."

막내의 얼굴은 벌겋게 달아올랐다.

눈에서 뜨거운 빛살이 쏟아져 나올 것처럼 이글거렸다.

막내는 이것은 참으면 안 된다고 생각했다.

'엄연한 삼촌인데 젖을 먹고 컸다고 얕잡아보다니……'

막내는 팔소매를 걷어올렸다. 조카도 팔소매를 걷어올렸다. 막내
는 두 주먹을 쥐고 한 걸음 앞으로 나섰다.

"너 혼 좀 나볼래?"

"싸우자는 거야?"

"그래 붙어."

"그럼 지더라도 일러바치지 마."

"내가 할 소리야."

두 아이는 씩씩거리며 언덕 위로 올라갔다. 언덕은 푸른 풀밭이어
서 싸움 장소로 안성맞춤이었다.

두 아이는 이내 서로 붙들고 엉크러졌다. 언덕 위에서 데굴데굴 구
르기도 했다.

평소에는 벌레 한 마리 떨어뜨리는 것도 망설이던 막내였다. 누가
북 건드리고 지나가도 그저 빙그레 미소나 지었고 아이들끼리 싸움이
나면 그러지 말라고 한사코 말리던 막내였다.

그런데 그날의 막내는 달랐다. 한번 화가 나자 좀체로 꺼질 줄 몰랐
다. 어디에 그런 힘이 있었는지 조카를 꼼짝 못하게 했다. 이리 뒹굴

리고 저리 뒹굴리고 하던 조카가 마침내 두 손을 들었다.

"잘못했어, 놔줘."

"다시는 안 덤비지?"

"안 덤빌게."

막내는 일어났다. 그러나 조카는 엎드린 채로 눈물을 손등으로 닦아내고 있었다.

"일어나."

"……"

"어서 일어나래두."

그러나 조카는 꼼짝도 하지 않았다. 더욱 슬프게 울 뿐이었다.

막내는 풀밭에 털썩 주저앉았다. 그러고는 두 무릎 사이에 얼굴을 묻었다. 조카는 아무 소리도 없이 고요하기만 하자 울음을 그치고서 살며시 눈을 떴다. 순간 조카는 흠칫 놀랐다. 언덕 아래로 내려가고 없는 줄 알았던 막내가 옆에 쪼그리고 앉아 흐느끼고 있었던 것이다.

"왜 울어?"

"……"

"이겼으면서 왜 우느냐니까?"

그제서야 막내가 고개를 들었다. 막내는 부은 눈을 껌뻑거리면서 말했다.

"이긴 것도 별것이 아니라는 것을 알았어."

"무슨 소리야? 이기면 좋고 지면 슬픈 건데……."

"아니야, 이겨도 슬픈걸."

"바보."

"바보?"

"그래, 바보가 아니고 뭐야, 이기고도 울다니."

"바보래도 좋아, 난 이제는 다신 안 싸울래."

"정말이야?"

"정말이야."

두 아이는 마주 보고 싱긋 웃었다. 누가 먼저라고 할 것도 없이 상대편의 옷을 털어주었다. 두 아이는 이내 언제 싸웠느냐는 듯 어깨동무를 하고서 언덕길을 내려왔다.

저만큼 떨어져 있는 논두렁의 소나무 위에 앉아 있던 백로가 훨훨 날아서 한바퀴 맴을 돌고는 다시 소나무 가지에 앉았다.

막내는 조카와 헤어진 다음 신작로로 나왔다. 멀리 물부리산 위로는 해가 설핏 기울고 있었다.

이 무렵이 막내한테는 왠지 슬프면서도 좋았다. 해가 순해지고, 바람이 자고, 그리고 들에 나간 소가 길게 울고 돌아오고……, 이런 때는 양조장 근처에서 떠드는 어른들의 목소리도 아득하게 들린다.

막내는 다리목에서 어머니를 기다렸다. 어느새 개울물에도 붉은 노을이 깃든다. 산밑 초가집에서는 하얀 연기가 모락모락 올라오고 있다. 조카와 싸운 뒤여서인지 막내는 더욱 신작로를 따라서 어디론가 가고 싶었다. 신작로를 따라 산을 넘어가면 그리운 곳이 있을 것 같았다.

막내는 천천히 걸었다. 산그늘이 점점 넓어졌고 어둠 또한 차츰 짙어졌다. 산굽잇길에 하얀 옷을 입은 몇 사람이 나타났다. 그중에서 약간 키가 크고 여윈 여인을 향해 막내는 힘껏 불렀다.

"어머니이."

그러자 단번에 저쪽에서 대답이 돌아왔다.

"오냐, 수화 안이냐아!"

막내가 달리자 저쪽에서도 어머니가 마주 달려나왔다. 막내는 어머니의 치마폭에 푹 싸이면서 뜸부기의 울음소리를 들었다.

"어머니."

"왜? 또 무얼 물어보려고 그러느냐?"

"오늘은 많이 팔으셨어요?"

"많이 팔고 말고, 오늘은 장사가 잘돼서 너희 아버지 약을 한 제 지어왔다."

"와아, 그럼 또 감초 가려먹게 생겼네."

"원 녀석도."

"어머니."

"왜? 이번에는 또 무얼 물으려고?"

"이 길 끝은 어디여요?"

"이 길의 끝이라아……, 길에는 끝이 없는데……, 끝에서 또 끝으로 이어지고 이어지고 해서 끝이 없는 것이 길인네."

"그러면 이 길이 가는 저 고개 너머, 산 너머는요?"

"안동이 있지."

"저쪽 고개, 산 너머는요?"

"선산이 있고, 대구가 있지."

"어머니, 내 고향은 어디여요?"

"하도 이사를 많이 다녀서……, 네 태어난 곳은 대구다만……."

"어머니, 고향은 포근한 곳이지요?"

"포근한 곳? 원 너석도, 그래 고향은 정말 그런 곳이지."

"어머니, 그러면 대구도 포근한가요?"

"글쎄다……, 그렇게 말한다면 이느 지역이 아니라 네 마음에 있는 곳이 고향이라고 하는 것이 옳을 텐데……."

"내 마음이 있는 곳이요?"

"그래, 네 마음이 있는 곳. 거기가 어디인지 한번 생각해보려무나."

뜸부기 울음소리가 다시 들려왔다. 어둠이 재이면서 하늘에 별이 하나둘씩 얼굴을 내밀었다.

막내는 고개를 갸우뚱하면서 발부리 앞에 있는 작은 돌을 찼다. 돌이 개울 속에 떨어지면서 '풍덩' 소리를 냈다.

"어머니."

"왜?"

"내 마음이 가는 곳은 너무도 많아요."

"어딘데?"

"저기 맑은 개울 속에도 가 있구요."

"또?"

"장다리꽃밭에도 가 있구요. 도라지꽃밭에도 가 있구요."

"또?"

"저 산 너머에도 가 있구요."

"저 산 너머 어디?"

"대구, 선산, 안동……, 모르겠어요. 어머니, 그냥 마음이 가고 싶어해요."

"그냥 마음이 가고 싶어한다고? 원 녀석도."

"어머니, 달이 떠요."

막내는 팔을 들어 앞산을 가리켰다. 마치 산 너머에서 내다보는 것처럼 둥근 달이 살며시 올라오고 있었다.

"보름달이구나."

마을이 가까워지자 개들이 짖었다.

막내가 갑자기 손뼉을 쳤다.

"어머니, 생각이 났어요."

"무어가 생각이 났어?"

"내 마음이 제일 많이 가 있는 곳이요."

"거기가 어디냐?"

어머니는 발걸음을 멈추고 막내를 내려다보았다. 막내가 씩 웃으며 대답했다.

"면 소재지에 있는 가게예요."

"뭐라구?"

"어머니, 나는 가게 주인이 되고 싶어요."

어머니는 적잖이 실망해 하는 눈치였다. 처음에는 이슬 머금은 풀잎처럼 윤기 있던 목소리이더니 막내가 가게 주인이 되고 싶다고 하자 갑자기 서리 맞은 풀잎처럼 힘이 하나도 없어 보였다.

"어머니, 가게 주인이 되고 싶지 않아요?"

"……"

"가게가 없으니까 머리에 이고서 팔러 다니지 않는가요? 내가 가게 주인이 되면 돈을 벌어서……."

"돈을 벌어서 뭐 할 건데?"

"어머니께 인삼을 사드리겠어요."

다른 때 같으면 '원 녀석도'라고 할 것이었다. 그런데 어머니는 집에 닿을 때까지 아무 말도 하지 않았다.

　이날 밤, 어머니의 밤기도는 어느 날보다도 길었다. 어머니한테 기대어 있던 막내가 스르르르 졸음에 빠졌다.

　어머니는 막내의 어깨를 부추켜서 앉혔다. 막내는 눈을 부벼 뜨고서 어머니의 묵주기도를 따라 하였다.

　"…… 오늘 우리에게 일용할 양식을 주시고 우리에게 잘못한 이를 우리가 용서하듯이 우리 죄를 용서하시고 우리를 유혹에 빠지지 말게 하시고 악에서 구하소서, 아멘."

　"은총이 가득하신 마리아여, 기뻐하소서. 주께서 함께 계시니 여인 중에 복되시며 태중의 아들 예수 또한 복되시도다."

　"천주의 성모 마리아여, 이제와 우리 죽을 때에 우리 죄인을 위하여 빌으소서, 아멘."

　막내는 기어이 어머니의 무릎 위로 쓰러져 잠이 들었다. 건넌방에서 아버지와 함께 있던 형의 또랑또랑한 책 읽는 소리도 그쳤다. 아버지의 기침소리만이 간혹 났다. 그러나 어머니의 묵주기도는 밤이 이슥하도록 계속되었다.

　마침내 기도를 마친 어머니가 막내를 안아 잠자리에 누이려 할 때였다. 막내가 '끄응' 하는 신음소리를 냈다. 막내의 이마에 손바닥을 대어본 어머니는 깜짝 놀랐다. 막내의 이마에서 열이 느껴졌던 것이다. 어머니는 막내를 흔들어 깨웠다.

"얘, 수환아! 어디 아프니?"

막내는 눈을 떴다. 어머니가 내려다보고 있는 것을 보고는 두 팔을 뻗어 어머니의 목을 끌어안았다. 그것은 막내의 습관이었다.

"어디가 아프니? 열이 있다, 얘야."

"어머니, 배가, 배가 아파요."

"그러면 진작 말할 것이지, 왜 이제 말해."

말은 그렇게 했으나 어머니의 마음 속에는 집히는 게 있었다. '저 순한 녀석이 어머니가 기도하는데 방해될까봐 참고 있었던 것이리라.'

어머니는 막내의 엄지손가락을 펴게 해서 실로 손마디를 칭칭 동여맸다. 그러고는 바늘로 손톱 위를 찔러서 피를 나게 했다.

"아파?"

"조금."

"참을 수 있지?"

막내는 고개를 끄덕이었다. 어머니는 막내의 배를 살살 문질러주면서 말했다.

"이제 괜찮을 게다."

막내가 고개를 끄덕이며 살며시 눈을 떴다. 눈에 웃음을 담고서 입을 열었다.

"나도 알아요. 어머니의 손은 약손이거든."

"원 녀석도."

어머니는 막내의 뺨에 자신의 뺨을 갖다댔다. 잠시 잠에 빠져 있는 것 같던 막내가 눈을 떴다. 그러고는 꿈결에서인 듯 가느다란 목소리로 말했다.

"어머니, 이제는 알았어요. 우리 고향은 저 산 너머 하늘 나라예요."

이튿날, 막내가 잠자리에서 일어났을 때 뜻밖에도 마당에서 어머니의 말소리가 들리고 있었다.

"신부님을 우리집으로 모셔서 미사를 드리게 해주셔요. 성심껏 준비할게요."

"하지만 자매님댁의 형편이 어려운 걸 내가 아는데……."

말을 받는 목소리는 공소 회장님이었다.

"아닙니다. 행상을 해서 모아둔 돈이 조금 있어요. 지금 당장 장터로 나가 도배지를 사다 방도배를 하겠습니다."

"이거 번번이 미안합니다."

"별말씀을, 제가 도리어 감사해야지요. 저는 언젠가 신부님께서 해주신 재물과 생명, 이 두 가지를 함께 섬길 수 없다는 강론을 듣고 결심하였습니다. 재물과 생명 둘 중에서 생명을 섬기기로 한 것이지요.

생명을 살리는 소임이 재물이지, 재물을 늘리기 위해 생명을 씁니까?"

"옳은 말씀이십니다."

막내는 방문을 열고 나가서 공소 회장한테 절을 했다.

"안녕하세요?"

"오냐. 요셉형님, 저 녀석 참 귀태가 있어요."

공소 회장은 마루 끝에 앉아 있는 아버지를 돌아보고 말했다. 형의 연필을 낫으로 깎아주고 있던 아버지가 말대꾸를 했다.

"우리가 비록 가난하지만 쿨룩쿨룩……, 그러나 아이들만은 잘 먹이고 잘 입히지 쿨룩쿨룩……, 저 사람은 근검절약하면서도 아이들을 천하게 키우지는 않겠다는 것 아닌가 쿨룩쿨룩……."

"그래서 교우들이 맏지나자매를 왕대라 안 합니까?"

어머니는 듣고 있다가 민망한지 얼른 부엌으로 들어가버렸다. 막내가 따라 들어가 보니 어머니는 작은 솥에다 풀을 쑤고 있었다.

"어머니, 오늘 행상은 안 가세요?"

"그래, 안 간다. 신부님이 오시니까 도배를 해야 하거든."

"아이 신난다."

정말로 신나는 하루였다. 문짝째 뜯어서 훌훌 묵은 창호지를 걷어내고 새 창호지를 발랐다. 문양 있는 천장지로 천장을 바르고 벽 또한 멋있는 벽지를 발랐다. 처마 밑의 거미줄을 걷고 마당을 쓸고 마루 밑을 치웠다. 마루도 수세미로 문질러서까지 닦고 방도 반들반들하게 닦았다.

식구들이 일을 마치고 저녁밥을 먹고 난 다음 마루에 앉았을 때 앞산 허리에 둥근달이 떠올랐다. 어린 형제는 누가 먼저라고 할 것도 없이 노래를 불렀다.

"달아 달아 밝은 달아 이태백이 놀던 달아."

흙이 참 좋다

학교 가는 신작로에는 버드나무가 두 줄로 늘어서 있다. 책보를 허리에 매고 종종종 따라오고 있는 막내를 향해 형이 물었다.

"학교 다녀보니까 어때, 재밌니?"

"재미없어. 엄마 따라서 장에 다니는 것이 더 재미있어."

"학교도 재미있는 곳이야. 동무들도 많고, 공부도 하고."

"동무들이 뭐가 많아? 어른들은 많은데, 같은 반인데도 그 사람들은 우리하고 안 놀아. 그리고 이름도 함부로 부르지 말래."

"아저씨라 부르라 하지? 우리 반도 마찬가지야."

"형네도 그럼 청소시간 되면 걸레 빨아 오라는 누나가 있어?"

"없는데. 누가 너한테 그런 일 시키던?"

막내는 고개를 저었다. 그러나 사실은 막내 반에 그런 누나뻘 되는 여학생이 있었다.

"형, 어제 우리 선생님이 장가간 사람은 손들어보라고 했다."

"몇 사람이나 손들던?"

"여덟 사람."

막내는 두 손바닥을 쫙 펴서 손가락 여덟 개를 꼽아 보였다. 형은 훌쩍 뛰어서 버드나무 가지를 꺾었다.

"우리 학급에는 열한 사람이나 되는걸."

"와, 그렇게 많아."

막내는 눈을 동그랗게 떴다. 형은 고개를 끄덕이며 연필 깎는 칼로 버드나무 가지의 여린 끝부분을 잘랐다. 속 나무를 빼내고 껍질의 끝부분을 앞니로 자근자근거렸다. 그것을 보고 있던 막내가 씩 웃으며 입을 열었다.

"형, 어제 이런 것을 보았다."

"어떤 것을?"

"아버지가 아들을 자전거 뒤에 태우고 왔어. 그래서 나는 우리 학교에 데려다주는 것인 줄 알았거든. 그런데 나중에 보니 아버지는 5학년 교실로 들어가지 뭐야."

"엄마도 함께 다닌다면 더 좋을 텐데."

"형, 정말 그렇네. 아버지랑 어머니랑 아들이랑 한 학교에 자전거 타고 함께 다닌다면 얼마나 좋을까."

형은 막내의 입에서 자기네 아버지 어머니의 나이 많은 얘기가 나올까 싶어서 얼른 버들피리를 내밀었다.

"너가 먼저 불어봐."

막내는 버들피리를 불었다. 필릴리 필릴리, 버들피리 소리가 퍼지자 학교 가던 아이들이 모여들었다. 그중에는 막내가 좋아하는 한 학년 위인 선자누나도 있었다. 막내가 피리 불기를 그치자 선자누나가 말했다.

"다시 불어봐, 아주 듣기 좋다."

막내는 다시 피리를 불었다. 필릴리 필릴리이, 버들피리 소리가 흘러가자 어디서 날아왔는지 참새떼가 한 무리 옆 버드나무에 와 앉았다.

"이젠 그만 불고 학교 빨리 가자."

옆에서 형이 독촉을 했다.

"뭐가 급해서 그래? 해가 아직 저기밖에 안 올라왔는데."

선자가 막내네 형을 흘겨보았다.

"무슨 소리야? 그림자가 이만큼 커질 때는 예비종이 울릴 때란 말이야."

"아니야, 아직 멀었어. 너희는 학교 가서 공차고 놀려고 그러지? 먼저 가. 내가 수환이 지각 안 하게 데리고 갈 테니까."

형은 막내한테 주먹을 들어 보였다. 그러나 막내는 못 본 척 외면을 했다. 형보다는 선자누나와 함께 가고 싶었던 것이다.

형은 한 떼의 아이들을 데리고 바삐 먼저 가버렸다. 막내와 선자만이 뒤에 남았다.

"수환아, 너 피리 불면서 천천히 좀 가고 있을래?"

"선자누나는 뭐 하고?"

"나는 저 산비탈에 가서 진달래꽃 따올게. 너 진달래꽃 맛 알지?"

"알아."

"그럼 기다려. 내가 많이 따다줄게."

"학교에서 돌아올 때 따도 될 텐데."

"그땐 늦어. 아이들이 너도나도 덤벼들어 다 따먹어버리거든. 그러나 지금은 밤새 피어난 진달래꽃들이 많이 있어."

"그럼 얼른 갔다와."

막내는 저만큼 혼자 가다가 길가 바위 위에 앉아 피리를 불었다. 밭언덕에 매여 있던 소가 막내쪽을 돌아보고서 고개를 한 번 흔들었다. 목에서 방울소리가 짤랑짤랑 났다.

"여기 봐라, 수환아."

막내는 소리나는 쪽으로 고개를 돌렸다. 그러나 거기 비탈에는 잔솔나무와 오리목나무와 진달래꽃그루뿐, 그 밖에 아무것도 보이지 않았다.

"어디 있어, 선자누나?"

"여기 있어."

막내는 찬찬히 보았다. 잔솔나무그루 사이와 오리목나무그루 사이를, 그런데도 얼른 눈에 띄지 않았다.

갑자기 진달래꽃무더기 속에서 까르르르 웃음소리가 났다. 그제서야 막내는 알아보았다. 진달래꽃가지 아래로 내다보이는 선자누나의 치맛자락을.

"진달래꽃무더기 속에 숨어 있는 누나를 누가 모를 줄 알고."

그러자 진달래꽃나무가 일어서는 것이 아닌가. 놀라서 눈을 크게 뜬 막내는 이내 후 하고 웃음을 터뜨렸다. 그것은 진달래꽃나무가 아니라 진달래꽃가지를 꺾어들고 앉아 있던 선자누나였던 것이다.

막내는 진달래꽃가지를 꺾어들고 산을 내려오는 선자누나를 향해 말했다.

"선자누나는 꽃천사인가봐."

"왜."

"꽃 속에 앉아 있으니까 표나지가 않아."

"왜 표나지가 않아?"

"정말이야, 선자누나. 우리 어머니가 이야기해주었어."

"뭐라고?"

"이쁜 사람은 꽃 속에 있어도 구별되지가 않는다고."

"얘가 날 놀리네."

"정말이래두, 심청이도 얼마나 이쁜지 연꽃 속에 있는 걸 뱃사람들이 몰랐대."

"이제 그 말은 그만하고 이것이나 받어."

선자는 얼굴을 붉히며 자기 얼굴빛 같은 꽃이 주렁주렁 달려 있는 꽃가지를 막내한테로 내밀었다.

둘은 진달래꽃을 따먹으며 천천히 길을 걸었다. 그때 학교로부터 종소리가 뎅뎅뎅 울려왔다. 둘은 화들짝 놀라며 꽃가지를 내던지고 학교를 향해 달려갔다.

선자가 교실을 향해 달려가다 말고 막내를 향해 돌아서서 말했다.

"참, 수환아. 내한테 그것 줄 수 있니?"

"무얼?"

"아까 네가 불던 버들피리."

"응, 줄게. 선자누나 가져."

막내는 선자한테 버들피리를 건네주고는 교실로 들어갔다. 선자는 막내한테 눈웃음을 한 번 웃어 보이고는 자기 교실로 들어갔다.

막내가 책상 위에 책보를 내려놓자마자 막내네 선생님이 교실에 들어왔다. 막내는 담임이 조선사람인 것이 좋았다. 형네 담임은 일본사람이어서 싫다고 형이 말하곤 했었다.

선생님은 출석을 부른 다음 잠시 눈을 감고 마음을 조용히 하라고 시켰다. 한참 지나서 눈을 뜨라고 한 선생님은 아이들을 향해 엉뚱한 질문을 했다.

"공부는 왜 하는지 아는 사람은 손들어봐요."

아이들은 서로 얼굴을 쳐다볼 뿐 선뜻 손을 들려고 하지 않았다. 그런데 뒷자리의 나이 많은 쪽에서 손이 올라왔다.

"좋아, 판석이 말해봐라."

"네, 저는 중국도 가고 일본도 가기 위해 공부합니다."

"그래, 그런 점도 없지는 않겠지."

선생님은 고개를 끄덕이고 나서 반상 아이를 시켰다.

"강수는 왜 공부를 하는지 말해봐라."

"네, 저는 벼슬을 하기 위해 공부합니다."

"만길이는?"

"좋은 데로 장가가기 위해……."

아이들은 일제히 웃음을 터뜨렸다.

선생님은 천천히 교실 아이들을 한바퀴 둘러보았다. 그러다가 앞쪽 줄에 앉은 막내와 눈이 맞았다.

"수환이 일어나라."

막내는 옆에 앉은 짝을 돌아보았다. 혹시 잘못 불렀나 싶어서였다.

"다른 사람이 아니야. 수환이 너야. 너는 무엇 때문에 공부를 하니?"

"네, 저는……."

"괜찮아. 사내 대장부가 큰소리로 자기의 의견을 말할 수 있어야지."

막내는 숨을 한 번 크게 들이쉬었다. 그러고는 두 손을 책상에 꽉 짚은 채로 대답했다.

"저는 하느님의 아들답게 살려고 공부를 합니다."

선생님의 눈이 크게 벌어졌다.

"하느님의 아들답게 살려고? 네가 생각한 것이냐? 아니면 누가 그렇게 말하더냐?"

"제가 생각한 것이 아닙니다."

"그럼?"

"신부님께서 그렇게 가르쳐주셨습니다."

아이들 속에서 두런거리는 소리가 들렸다.

"신부님이 누구야?"

"자기 생각을 말하라고 했지 누가 가르쳐준 것을 말하라고 했나?"

선생님이 출석부로 교탁을 꽝 소리가 나게 내리쳤다.

"조용히 해! 자, 나는 수환이 네 생각이 듣고 싶다. 너는 무엇 때문에 공부를 하느냐?"

"선생님 저는……."

"그래 말해봐."

막내는 숙이고 있던 고개를 들었다. 선생님의 얼굴을 바라보는 막내의 눈이 전에 없이 빛났다.

"저는 주권을 찾고 싶습니다."

"뭐라고, 주권?"

"네."

선생님은 갑자기 당황하는 것 같았다. 어린 아이 입에서는 처음 듣는 주권이라는 말이었기 때문이다. 교실 안은 갑자기 물을 끼얹은 듯 조용했다.

"누가 그런 말을 하더냐?"

"우리 아버지가 말했습니다. 일본사람들이 우리를 함부로 하는 것은 주권을 빼앗거서 그렇다고."

"알았다. 수환이 앉아라."

그러나 막내는 앉지 않았다. 묻지도 않았는데 말을 계속했다.

"선산에서 살 때였어요. 일본 아이들하고 싸움이 벌어진 자리에 있었어요. 여기 제 이마 위 흉터를 보세요. 이 흉터는 일본 아이가 비겁하게 돌을 던져서 맞아 생긴 것이에요……."

막내의 목소리에 울음이 묻어나왔다. 막내는 풀썩 주저앉았다. 두 팔 사이에 얼굴을 묻고 흐느꼈다. 선생님도 눈시울이 붉어져서 흑판 쪽으로 돌아섰다. 다른 아이들도 따라 울었다.

얼마 후, 선생님은 출석부로 탁탁탁 교탁을 쳤다.

"자, 오늘은 시간을 바꾼다. 넷째 시간에 있는 보건을 이 시간에 한다. 그리고 이 시간의 셈본 공부는 넷째 시간에 한다. 모두 운동장으로 모이도록."

아이들은 와 소리를 지르며 운동장으로 뛰어나갔다. 교실을 맨 나중에 나서는 막내의 어깨를 툭 치는 손이 있었다. 막내가 돌아보자 선생님이 눈을 꿈벅 감았다 뜨면서 말했다.

"힘을 키워야 한다."

아이들은 선생님이 시키는 대로 운동장을 돌았다.

"하나아, 두울, 세엣, 네엣, 하나, 둘, 셋, 넷."

선생님의 구령에 맞춰 아이들도 소리를 질렀다.

"하나, 둘, 셋, 넷! 하나, 둘, 셋, 넷."

선생님이 고함을 질렀다.

"가슴을 펴라! 소리를 힘껏 내! 자, 다시 한 번 하나, 두울, 세엣, 네엣."

막내도 다른 아이들에 맞춰 크게 소리쳤다.

"하나, 둘, 셋, 넷! 하나, 둘, 셋, 넷!"

공부하고 있던 다른 교실의 아이들이 창밖으로 고개를 내밀고 소곤 거렸다.

"쟤들 웬 소리가 저렇게 크지?"

"글쎄 말이야. 메아리 귀신이 들렸나봐."

이날 밤, 막내는 잠자리에 들어서 끙끙 앓았다. '하나, 둘, 셋, 넷' 하고 삼쏘대노 했다. 저녁기도를 마친 어머니가 막내의 이마 위에 손을 올려보고는 깜짝 놀랐다.

어머니는 아버지를 깨웠다.

"건너와보세요. 막내한테 열이 굉장해요."

안방에서 기침을 하며 건너온 아버지 또한 놀랐다.

"얘가 이렇게 아픈 적이 없지 않아요?"

"그렇지요, 한 살적 애기 기침병에 걸린 일 말고는. 그러나 그때는 견진성사를 받으니까 감쪽같이 나았어요."

"이 밤중에 약국을 찾아갈 수도 없는 일이고……, 자식 아픈 것을 보면 안타까워 피가 마른단 말이야."

어머니가 입에 대준 사발의 냉수를 마신 막내는 잠시 숨을 돌려쉬는가 했더니 또 헛소리를 내놓았다.

"하나, 둘, 셋, 넷……, 힘! 힘! 힘! 하나, 둘, 셋, 넷……."

아버지가 쿨룩쿨룩 기침을 하면서 말했다.

"내가 대신 아플 수가 있다면 좋으련만……."

"무슨 말씀을 그렇게 해요?"

어머니가 못마땅한 얼굴로 아버지를 돌아보았다. 아버지는 고개를 저으면서 대꾸했다.

"내야 이제 살 만큼은 살은 몸인데 뭘 그래."

"그만 건너가세요."

어머니는 막내를 껴안고 계속 성모 마리아를 찾았다. 밤새 아버지의 방 문창호에도 오롯이 꿇어앉아 기도하는 그림자가 비쳐 있었다.

새벽닭이 울 무렵에야 막내의 열은 내렸다. 그런데 이번에는 아버지의 기침소리가 심해졌다. 막내는 언제 열이 있었느냐는 듯 일어나서 아침밥을 먹고 학교로 갔으나 아버지는 좀체로 일어나지 못했다.

이해의 겨울은 유난히도 추웠다. 광주에서 학생들이 부른 '대한독립 만세'가 천지를 진동시켰다(1929년 11월 3일 광주 학생 운동)는 소문이 귀엣말로 전해지고 있던 겨울이기도 했다. 학생들의 만세 소리가 서울로 옮겨붙었다고도 했고 개성, 평양으로 번져나가고 있다고도 했다.

어찌나 많은 사람을 잡아가두는지 감옥이 미어터져버릴 것이라고들 말하는 사람도 있었다. 실제로 일본 순사들은 '아리랑 아리랑 아라리요 아리랑 고개를 넘어간다'고 우리네에 전해오던 민요를 부른 어른들까지도 잡아갔던 것이다(조선총독부, 민요 '아리랑' 금창령 내림.

1929년).

막내네한테도 나기 어려운 겨울이기는 마찬가지였다. 아니, 어느 집보다도 더 심한 한파가 몰아친 막내네 집이었다. 그것은 아버지의 병환이 위중했기 때문이었다.

섣달 대목 장날에는 새벽부터 눈발이 희끗희끗 비쳤다. 막내네 집 마당가에는 미루나무가 한 그루 있었다. 그 미루나무 꼭대기에는 까 치집이 있었는데 까치도 아직 일어나지 않은 시간에 어머니가 막내를 깨웠다.

"일어나라, 막내야."

"어머니, 나 조금만 더 자고 싶은데."

"형은 진작 일어났다."

"형이니까 그렇지. 나도 형이라면 먼저 일어났을 거야."

"요 녀석이 이제 못하는 말이 없네. 그러면 너는 더 자거라. 나는 갈 테니."

"어디 가는데요?"

"장에 가지 어디 가."

"어머니, 정말이에요?"

막내는 이불을 걷어차고서 벌떡 일어났다. 늘 따라가고 싶던 장이 었다. 그런데도 어머니는 번번이 막내를 살짝 따돌리고서 갔다오곤 했다. 헌데 이날은 웬일로 막내더러 함께 가자고 하는가. 그것도 이날은 이웃집에 살고 있는 큰누나와 조카도 함께 가는 장나들이였다.

어머니는 집에 남는 형한테 단단히 일렀다.

"아버지 머리맡을 떠나지 마라. 혹시 아버지가 이상하면 옹기굴에 가서 매형을 불러와야 해. 알았지?"

막내는 살며시 형 곁으로 다가가서 귓속말을 했다.

"형, 엿 사달래서 가져올게 기다려."

장은 크게 북적대었다. 여기저기서 '어서 오이소' 하고 소리를 질렀고, '쌉니데이 쌉니데이' 하고 손님을 끌었다. 송아지가 팔려가면서 '음메에' 하고 우는가 하면 돼지가 묶인 채로 발버둥을 치기도 했다.

옷전도 돌아설 틈이 없이 북적대었고, 어물전도 싸전도 와글거렸다. 엄마 손을 놓친 아이가 울고 다니는가 하면 무슨 일로 싸움이 벌어졌는지 멱살잡이를 하는 사람들도 있었다.

막내는 행여 어머니 치맛자락을 놓칠세라 땀이 나게 쥐고 따랐다. 어머니는 다른 때와는 달리 포목전으로 들어갔다. 포목전에서 광목 파는 아주머니와 흥정해서 광목을 한 통 샀다. 삼베 파는 할머니와도 흥정해서 삼베를 샀다. 그러고는 건어물 가게로 가서 명태를 두 두름이나 샀다. 참깨를 가지고 가서 참기름을 짜고 등잔기름을 두 되나 샀다.

어머니가 이런 것을 이렇게 많이 사는 것이 막내는 아무래도 이상하였다. 광목은 무엇에 쓸 것이며 삼베는 또 무엇에 쓸 것인가. 설빔은 사지 않고 왜 이렇게 기름만 사는가.

그런데 그 이유를 막내는 옹기전에 가서야 어슴푸레 짐작할 수가 있었다. 어머니가 옹기전 사람들과 이런저런 이야기를 나누는 것을 엿들었던 것이다.

"애 아버지 병세는 좀 어떠신가요?"

"아무래도 세밑 넘기기는 어려울 것 같아요."

"그렇게 위중하신가요?"

"네, 그서께 신부님을 모셔와서 종부성사도 보았어요."

"양지볕 한번 쬐어보지 못하고 평생 고생만 하다가 가시는구먼요."

"그래도 선종하신 날짜도 장소도 모르는 시어른보다야 백배 낫지요. 종부성사도 받고, 임종할 자식들도 있고."

"그나저나 애 엄마가 걱정이오. 늦둥이들을 두어서……."

"산 입에 거미줄이야 치겠어요?"

막내는 힘이 하나도 없었다. 갑자기 귀머거리가 된 것처럼 장터사람들의 왁자한 소리가 하나도 들리지 않았다. 엿장수기 지니갔지만 군침도 돌지 않았다. 그저 보이는 것이 모두 아득하게만 느껴졌다.

돌아오는 길에서 막내는 어머니한테 물었다.

"어머니."

"왜?"

"죽는다는 것은 어떤 것이지요?"

어머니는 물끄러미 바라보다가 한참 후에 입을 열었다.

"죽는다는 것은 별것 아니다. 몸은 이쪽에다 버려두고 영혼은 저쪽으로 옮겨가는 것이다."

막내는 돌을 찼다. 돌이 저만큼 풀섶으로 굴러 들어가 숨었다. 막내는 풀밭으로 가서 돌멩이를 찾아 가지고 왔다.

"어머니."

"왜?"

"이쪽은 어디이고 저쪽은 어디예요?"

"너 교리공부 다시 해야겠구나."

"……"

"저쪽은 하늘 나라이고 이쪽은 지금 우리가 살고 있는 세상이다. 알겠니?"

"어머니."

"왜?"

"그런데 왜 하늘 나라로 갈 때 몸을 버려두고 가지요? 그냥 이 몸으로 걸어가면 좋을 텐데."

"몸은 이 땅에 올 때 받은 것이니 갈 때는 돌려줘야 하는 거야."

"어머니, 그럼 우리는 이 세상에 잠깐씩 다녀가는 것인가요?"

"그렇지, 지금 우리가 장에 왔다 가는 것처럼."

막내는 돌을 버리고 생각했다. 이 세상살이는 저 장터 같은 것인지도 모른다고. 왁자한 세상. 번거로운 세상. 속이고 속기도 하는 세상. 싸움을 하기도, 화해하기도 하는 세상. 때로는 울기도 하고, 웃기도 하는 세상. 아아, 아버지는 마침내 이 장터 같은 세상을 둘러보고 나서 조용히 돌아가시려는 것일까.

"어머니, 하늘 나라는 멀어요?"

"멀다면 멀고 가깝다면 가깝지."

"왜 그럴까요?"

"우리 동네로 가는 것도 마찬가지 아니겠느냐. 길을 아는 사람에게는 가까울 것이고, 모르는 사람에게는 멀 것이고."

이날로부터 이틀 후, 섣달 그믐해가 질 무렵 막내네 아버지는 숨을 거두었다. 이 세상에 와서 예순해 동안 떠돌다가 마친 한 삶이었다. 누나들과 형들은 크게 슬퍼하며 울었으나 막내는 오래 울지 않았다. 어머니가 말해준 대로 아버지의 죽음은 몸은 땅으로 돌려주고 영혼은 저 세상으로 옮겨가는 것이라고 생각한 때문이었다.

막내는 그저 교인들 사이에 끼어서 아버지의 영혼을 위하는 연도나 부지런히 바쳤다. 그러나 아버지의 시신을 염할 때는 눈물이 그칠 줄 몰랐다. 아무리 입었던 옷을 벗듯이 버리는 육신이라고 해고 꼼짝 못하게 묶는 것이 슬펐다. 가난하여 관을 마련하지 못하고 삿자리로 시신을 마는 것 또한 슬펐다.

사흘째 되는 날, 막내네 아버지의 상여는 마을을 한 바퀴 돌고 나서 가리미 공동묘지 산으로 갔다.

　마을 어른들이 땅을 파자 곁에서 흙을 한 줌 집어든 막내가 살며시
바로 위 동한형한테로 와서 말했다.

　"형아, 흙이 참 좋다."

빈자리

그렇지 않아도 말이 적은 막내는 아버지가 돌아가시고는 더욱 말이 줄었다. 긴장하고 있을 때는 약간 화가 난 것처럼 뚱한 표정이었고, 웃을 때는 소리를 내는 일이 없었다. 동무들하고 왁자하게 떼지어 떠들고 다니는 것이 아니고 그저 한둘이 그림자밟기나 하며 다니는 것을 좋아했다.

전쟁놀이 같은 것을 할 때는 끼기는 하였으나 흔히들 아이들이 좋아하는 대장 같은 것은 굳이 하려 하지 않았다. 그저 무슨 역을 시키면 그것이나 우직하게 열심히 할 따름이었다. 보초를 서라고 하면 징승처럼 꼼짝하지 않고 그 자리를 지켰고, 숨어 있으라고 하면 머리카

락이라도 들킬까봐 옹송거리고 숨었다가 아이들이 놀이를 파해 돌아가버린 뒤에서야 나온 적도 여러 번이었다.

　그날 학교에서의 마지막 시간은 자연이었다. 선생님이 문제를 흑판에다 적고 아이들은 그것을 공책에 베끼고 있었다. 그런데 조용한 교실에 누군가가 방귀를 '뽀오오옹' 하고 뀌었다. 아마도 참으려다가 더 이상한 소리가 되었나 보았다. 아이들은 일제히 웃음을 터뜨렸다. 흑판 앞에서 돌아선 선생님의 시선이 막내한테 머물렀다. 다들 이를 드러내며 웃고 있었는데 막내만이 볼이 빨갛게 되어 고개를 숙이고 씩 입술을 어긋내 보이고 있었다.

　"김수환."

　"네."

　"방귀 네가 뀌었니?"

　그러자 갑자기 막내의 눈동자가 한 자리에 섰다. 눈동자는 아닙니다, 제가 아닙니다 하고 강력히 항의하고 있었다. 선생님은 속으로 놀라고 있었다. 평소에는 세상 순한 것 같은데도 '아니다'라고 생각할 때는 저런 격렬한 눈빛이었기 때문이었다.

　"그런데 왜 고개를 숙이고 있니?"

　"부끄러워서입니다."

　"자기가 아닌데 왜 부끄러워하지?"

"마음이 부끄러운 것을 어떻게 합니까?"

선생님은 그만 덮어버리고자 한 말이었는데 막내가 벌떡 일어나서 물었다.

"선생님, 남이 방귀 뀐 일이라도 부끄러워할 수 있는 일 아닌가요?"

"물론 있지…… . 나는 지금 사내가 무슨 부끄러움이 그리 많으냐는 뜻으로 말한 거야."

"알겠습니다."

그런데 이날 또 한 번 막내한테 '사내' 라는 말 때문에 화나는 일이 있었다. 그러니까 학교에서 돌아오는 길에서였다. 참외밭을 지나며 같은 마을에 사는 아이들이 참외서리를 작당하였다. 막내가 망설이자 그중에 한 아이가 말했다.

"사내가 무슨 겁이 그리 많아?"

막내의 눈동자가 또 한 자리에 섰다. 이빈에는 눈동사가 '나도 할 수 있어, 너희가 하는 것은 모두 할 수 있으니 보라구' 이렇게 말하고 있었다. 그것은 확실한 결의이기도 했다.

아이들은 기어서 참외밭으로 들어갔다. 막내 또한 아이들을 따라서 날쌔게 참외밭을 뒤졌다. 막내는 푸른 줄기 밑에서 노오랗게 배를 내밀고 있는 참외 두 개를 따 가지고 밭두렁을 넘어 나왔다.

아이들은 고랑물로 달려가서 하얗게 흐르는 물에 노오란 참외를 씻었다. 그러고는 껍질쌔 우드득우드득 베어먹었나. 막내 또한 그렇게 했다. 막내는 참외 하나를 몰래 품 속에 숨겼다.

그 숨긴 참외를 집에 들어와서 형 앞에 내밀었다. 형은 눈을 동그랗게 뜨고 물었다.

"어디서 났어?"

"저어기서."

"저어기가 어디야?"

막내는 얼른 대답을 할 수가 없었다. 형이 다그쳤다.

"혹시 남의 밭에 들어가서 참외서리한 것은 아니지?"

막내는 가슴이 갑자기 두근거려서 방 안으로 들어갔다. 방 안에는 어머니가 바느질을 하고 있었다.

"학교 다녀왔습니다."

"마침 잘 왔다. 여기 바늘귀에 실 좀 꿰어줄래?"

막내는 단 한 번에 실을 꿰었다. 어머니는 그 바늘로 속옷을 기우며 물었다.

"수환아."

"네."

"아버지가 계시지 않으니 어떠냐?"

"허전해요. 기침하고 누워 계실 때는 몰랐는데……, 막상 계시지 않으니까 기침소리도 그리워요. 그리고……."

"그리고?"

"아버지가 누워 계셨던 아랫목 빈자리가 넓어 보여요."

"그래, 사람 떠나고 없는 자리에서 바람소리도 더 크게 들리는 것이란다."

어머니는 실을 이로 끊었다. 실패에 바늘을 꽂고 손가락에 끼었던 골무도 벗어 반짇고리에 넣었다. 속옷을 개키면서 어머니는 형을 찾았다.

형이 방에 들어와 앉자 어머니는 벽장 속에서 떡을 꺼내놓으며 말했다.

"먹어라, 마리아 할머니네 잔치에 갔다가 얻어온 것이다."

형제가 떡을 먹고 있는 것을 물끄러미 건너다보고 있던 어머니가 다시 입을 열었다.

"동한이는 어떠냐? 아버지가 계시지 않으니까 조심성이 없어지는 것도 사실이지?"

"네."

"아버지가 없이 자라는 아이들이 잘못했을 때 듣는 소리가 무언지 아느냐?"

형제는 서로 얼굴만 쳐다보았다. 어머니는 개켜놓은 옷에서 실밥을 뜯어내며 재촉했다.

"어서 대답해보아라."

막내가 입안엣것을 삼키고서 대답했다.

"어머니, 저는 아직 아버지 없는 자식이라는 욕을 얻어들은 적이 없는데요."

"누가 그런 욕을 들었느냐, 안 들었느냐고 물었느냐? 그런 욕이 무엇이냐고 물었지."

이때 형이 대답했다.

"후레자식이라고 합니다."

어머니는 그제서야 손을 멈췄다. 두 아들을 빤히 건너다보며 말했다.

"맞다. 후레자식이라고 한다. 아버지가 없어서 버릇없이 막되게 자란다고 해서 하는 욕소리다. 나는 너희 아버지가 돌아가신 후 너희들 먹여 살리는 것보다도 어떻게 하면 그런 욕을 듣지 않게 할까 그게 더 큰 걱정거리다."

형이 눈에 눈물을 글썽이며 무릎을 꿇었다. 막내도 따라서 무릎을 꿇었다. 어머니는 휴유우 하고 한숨을 내쉬었다.

막내가 얼른 일어나서 방문을 활짝 열었다. 어머니는 때로 마음 속에 먹고 있는 말을 하기 어려울 때는 가슴이 답답하다며 문을 열어라고 했던 것이다.

형이 두 손을 무릎 위에 올리고서 말했다.

"어머니! 절대, 절대 후레자식이라는 말을 듣지 않게 하겠습니다.

공부도 아버지가 계실 때보다 더 열심히 하겠습니다."

막내는 갑자기 숨이 컥 막혔다. 미사 때에 왜 가슴을 콩콩콩 치면서 내 탓이오, 내 탓이오라고 하는지 그제서야 알 것 같았다. 막내는 무릎 위에 올린 두 손바닥으로 얼굴을 싸안았다. 막내의 목소리에는 울음이 배고 있었다.

"어머니 제 탓이에요. 그럴 생각은 아니었는데……, 사내가 아니라는 말에 그만 아이들과 함께 참외서리를 하고 말았어요……, 공부도 저는 아버지가 살아 계실 때나 지금이나 그저 그래요."

어머니는 고개 숙인 막내의 등 너머로 건너 산봉우리에 걸려 있는 햇살을 보았다. 지고 있는 해가 보내는 것이어서 그런지 발그레이 참 맑고 순해 보였다.

어머니는 잔솔밭의 그 서양에서 눈을 떼지 않은 채로 말했다.

"막내는 신부님께 고해성사를 보아라. 그리고 내 말을 잘 들어라. 너희 아버지는 이치에 맞는 말씀을 잘하셨다. 언젠가 나한테는 자식에 대해 이렇게 말한 적이 있다. 부모란 하느님의 사식을 이 땅에 사는 동안만 맡아 기르는 책임자라는 것이다. 그러니까 자기들 마음에 들게 키울 것이 아니라 하느님의 마음에 들도록 키워야 한다고 했지."

막내는 손등으로 눈물을 닦았다. 그러고는 어머니와 형이 깜짝 놀라는 말을 했다.

"어머니, 걱정하지 마세요. 하느님의 후레자식이 안 되겠어요."

어머니의 얼굴에 그제서야 석양 같은 미소가 들었다.

"그래, 우리 막내가 참 고마운 대답을 해주었다. 하느님의 후레자식이 안 되겠다는 다짐만으로도 나는 성모님께 얼굴을 들 수 있게 되었구나. 자, 떡을 마저 먹어라."

형제는 남은 떡을 하나씩 들어서 그릇을 비웠다. 형이 물었다.

"어머니, 마리아 할머니네는 어디에 살으셔요?"

"대구에 산다."

"그런데 무슨 잔치였어요?"

어머니는 빈 그릇을 치웠다. 형제 앞으로 한 무릎 다가와 앉았다.

"그 집에 외아드님이 있었거든. 그 외아드님이 신품성사를 받았기 때문에 잔치를 한 거야."

"신품성사라면 어머니, 신부님이 되셨다는 말이지요?"

"그래, 마리아 할머니네 외아드님이 사제서품을 받는 대구성당에를 나도 가보았지. 세상에 장엄하다는 말이 있다는데 바로 그런 미사를 보고 하는 말이더구나."

이때 막내가 눈을 껌벅이면서 물었다.

"어머니, 사제서품을 받으려면 장가를 가지 않아야 하지요?"

"물론이지. 정절을 지켜야 해. 신부님이 된 다음에도 그렇고."

어머니는 눈에 빛이 꺼지고 있는 막내를 향해 물었다.

"너는 장가를 들고 싶으냐?"

"……"

"그럼 한 가지만 묻자. 왜 장가를 들려고 하느냐?"

"저는 어머니하고 함께 살고 싶어요. 돈 벌어서 어머니께 인삼도 사드리고 싶구요."

어머니는 다시 건너산을 바라보았다. 어느덧 산봉우리에 걸려 있던 해는 사라지고 하늘에 노을이 떠 있었다. 어머니가 방 안의 침묵을 깨뜨렸다.

"선운사 어떤 스님은 한 자식이 출가하면 아홉 가족이 모두 하늘 나라에 간다는 말을 듣고 스님이 되었다 하디구나."

형이 비로소 고개를 들고 말했다.

"어미니, 그러면 신부가 되는 것도 효도하는 길이고요."

"그렇고 말고, 부모한테 효도하는 것은 물론이고 하느님께도 효도하는 것이니 이보다 더 큰 효도가 어디 있겠느냐?"

형이 무릎 위에 올리고 있던 두 주먹을 꼭 쥐고서 말했다.

"어머니, 저는 어머니가 바라시는 대로 하겠어요."

"그렇다면."

"사제의 길로 가겠어요."

"수환이는?"

"어머니, 저는 아직……."

"더 생각해보겠다는 말이냐?"

"네."

"그래, 너는 아직 형보다는 급할 것이 없다. 그동안에 네 가슴 속에 하느님이 뿌린 씨앗이 무엇인지 나랑 함께 생각해보자."

막내의 눈이 다시 초롱거렸다.

"어머니, 하느님께서 우리들 가슴마다에 씨를 뿌렸다구요?"

"그럼, 씨를 뿌렸지."

"무슨 씨를 뿌려요? 우리들 마음은 밭도 아닌데?"

"아니다. 너희 아버지는 심전이라는 말을 자주 했다. 나는 공부를 많이 하지 않아서 한문을 잘 모른다만, 그러나 마음 심(心), 밭 전(田) 자 정도는 안다."

이번에는 형의 눈이 또록또록 빛났다.

"어머니, 그러니까 우리 가슴 속에는 마음밭이 있다는 거죠?"

"그렇고 말고, 거기에 하느님께서 씨앗을 묻어주신 거야. 장사꾼이 될 사람은 장사 씨앗을, 기술자가 될 사람은 기술 씨앗을, 군인 될 사람은 군인 씨앗을, 그리고 신부 될 사람한테는 신품 씨앗을 주었다고 생각한다."

"그런데 그 씨앗이 묵혀져버리면 어떡하지요?"

"물론 사람이 잘 알지 못해서 개중에는 하느님이 심어놓은 종자를 썩혀버리는 사람도 있지. 아마 자기가 하는 일에 신이 나지 않고 실패가 많은 사람이 그런 사람일 거라고 생각한다."

막내는 오래 꿇어앉아 있었기 때문에 발에 쥐가 났다. 손가락 끝에 침을 묻혀서 코에 바르며 물었다.

"어머니, 그럼 나와 형 마음밭에는 신품 씨앗이 떨어져 있는가요?"

"글쎄다. 아직은 모르지. 장사꾼 씨앗인지, 옹기장이 씨앗인지……, 아무튼 신부가 되고 싶다고 해서 다 되는 것은 아니라고 들었다. 안 되고 싶다고 해서 안 되는 것도 아니고."

"어머니, 어머니의 마음밭에는 무슨 씨앗이 주어졌을까요?"

"그야 어머니 되는 씨앗이었을 테지. 팔남매를 낳아 키웠으니까. 한 편 어떻게 생각하면 본래의 다른 씨앗이 있었을 것 같기도 한데……, 그러나 우리가 세상에 태어난 시대는 원체 어두워서 하느님이 주신 종자를 제대로 알아보기도 키우기도 쉽지 않았던 때였어……."

어머니는 자리에서 일어났다. 반짇고리를 반닫이 위에다 올리고 개킨 옷들을 반닫이 속에다 넣었다.

이내 막내네 초가삼간에 여름밤이 빈 데 없이 꽉 들어찼다. 하늘에는 별들이 쏟아져내릴 듯이 주렁주렁거렸고 지붕에는 하얀 박꽃이 피었다.

저녁밥을 먹은 형제는 마당 가운데 놓여 있는 평상 위에 누웠다. 어머니는 모깃불을 피운 다음에 마을을 갔다. 개똥벌레들이 소리 없이 날아다니는 시골 여름밤이었다.

막내는 형 쪽으로 돌아누웠다.

"형."

"왜?"

"정말, 신부 될 거야?"

"응."

"그럼, 대구에 있는 소신학교로 전학가야겠네."

"가야지."

"나 혼자 여기에 두고?"

"할 수 없지."

앞 논에서 뜸부기가 울었다. 뜸부기 울음소리가 형제를 아련한 슬픔 속으로 몰아갔다.

"수환아."

"응."

"우리 가슴 속에 어머니가 말한 마음밭 말고 또 무엇이 있을까?"

"마음밭 말고? 형, 나도 모르겠는데……."

"나는 슬픈 여울이 있는 것 같다."

"슬픈 여울?"

"응, 숲 속으로 흐르는 여울 말이야. 그것처럼 내 마음 속에는 슬픔이 흐르고 있는 것 같아."

막내는 하늘을 올려다보았다. 멀리 하늘 한켠에서 흐르고 있는 은하수로 시선이 멈췄다. 은하수 양쪽에 견우별도 보이고 직녀별도 보였다. 칠월 칠석날이 되면 만난다고 했던가.

"형, 나도 생각났어. 내 가슴 속에는 말이야."

"그래, 무어가 있니?"

"빈터가 있어."

"빈터?"

"응, 바람이나 그냥 비잉 돌고길 뿐 아무것도 없는 빈터 말이야."

형은 고개를 갸우뚱히고 있다가는 혼잣소리처럼 말했다.

"네 그 빈터에 주님이 오실지도 모르지……."

"형, 지금 무슨 말이야?"

그런데 형은 선혀 엉뚱한 대꾸를 했다.

"참외서리할 때는 어린 순 밟지 않도록 조심해야 돼."

"그게 또 무슨 말이야?"

"어린 순을 밟아버리면 참외가 더 열리지 못하거든."

형제는 이내 잠이 들었다. 하늘의 별들만이 밤새 소리 없는 대화를 나누고 있었다.

멀고도 먼 길

아이들은 볕이 잘 드는 교실 모퉁이에서 해바라기를 하고 있었다. 그러나 뒤가 막혀 있어서 겨울 바람이 비켜가는 양지는 얼마 되지 않았다. 아이들은 그 자리를 차지하기 위해 영차영차 하고 양쪽에서 밀어대었다. 그러면 가운데 아이들은 밀려나오기 마련이었다. 밀려나온 아이가 또 맨 가로 가서 밀고, 그러는 사이에 홑옷을 입은 아이들은 훈훈해지는 것이었다.

막내는 외따로 떨어져서 아이들이 그렇게 밀어대는 것을 물끄러미 바라보고 있었다. 선자가 곁으로 다가왔다.

"넌 왜 저 사이에 끼지 않니?"

"내가 끼면 더 좁아져서 더 밀게 되잖아."

"그래서 안 하는 거야?"

"응."

"바보."

"왜 내가 바보야?"

"덤벼보는 거야. 그래서 이겨야지. 이렇게 비켜나 있으면 어떡해? 그러니까 우등상도 못 받지."

"선자누나는 받아?"

이때 조회종이 울렸다. 아이들은 모두 운동장으로 달려나와 모였다. 높은 단 위에 시상대가 마련되었다. 종업식 날이기 때문에 시상이 있는 것이다.

먼저 우등상을 받을 학생들 이름이 불려졌다. 막내네 반에서도 세 사람이 불려나갔다. 한 학년 위에서는 선자도 불려나가 상을 받았다. 막내는 박수를 힘껏 쳤다. 옆에 선 아이가 막내의 옆구리를 쿡 찔렀다. 막내가 살며시 귓속말로 물었다.

"왜 그래?"

"뭐가 좋아서 박수쳐?"

"우등상 받으니까 축하해주어야지."

"바보."

"왜 내가 바보야?"

그 아이는 대답 대신 입을 비죽 내밀어 보였다. 사실 막내도 부러운 마음이 없는 것은 아니었다. 저 금테 봉황 무늬가 있는 우등상장을 받아간다면 얼마나 어머니가 기뻐할 것인가. 이미 신부가 되기 위해 대구 성 유스띠노 학교로 전학간 형은 꼭꼭 우등상을 받았었다. 그 상장을 어머니는 안방의 벽에 붙여두고 집에 오는 사람들한테 자랑을 하곤 했던 것이다.

종업식이 끝나고 교실로 들어가 성적표를 나눠받은 막내는 얼른 성적표를 들여다볼 용기가 나지 않았다. 꿈에서까지 구구법을 외우기도 했지만 성적은 짐작이 갔다.

집으로 돌아오는 길에는 추운 바람까지 불었다. 막내는 혼자 걸어오면서 살며시 성적표를 펼쳐보았다. 성적표에는 학과 과목과 갑을병이 인쇄되어 있었다. 갑을병이란 지금의 수우미양가와 같은 성적 나눔 표기였다. 그러니까 잘한다고 인정되면 갑(甲), 못하였을 때는 병(丙), 중간쯤 곧 보통이면 을(乙)이었다.

그런데 막내의 성적표에는 거의가 을 위에 붓뚜껑이 눌려져 있었다. 병도 둘이나 있었다. 그러나 갑은 하나뿐이었다. 막내는 가슴 속으로 돌이 쿵 하고 떨어지는 것 같았다. 해마다 성적표를 받아가서 드릴 때마다 다음에는 좀 더 나아지도록 하겠다는 것이 어머니와의 약속이었다. 허나 이번 5학년 성적도 별로 눈에 띄게 나아진 게 없는 것이다.

116

막내는 산 속으로 난 오솔길을 걸었다. 잎이 지고 없는 나무 사이에 펑퍼짐한 바위가 있었다. 막내는 그 바위 위에 신발을 벗고 올라갔다. 그리고는 무릎을 꿇고서 기도를 했다.

"하느님, 하느님께 염치없는 부탁입니다만 저한테는 하느님밖에 달리 부탁드릴 데가 없습니다. 오늘 이 성적표를 가지고 가면 어머니께서 크게 실망하실 것 같습니다. 하느님, 어머님이 실망하지 않도록 좀 도와주십시오. 저는 하느님의 후레자식이 되지 않겠다고 약속드렸습니다만 어머님을 실망시키는 아들도 되지 않겠습니다. 이 두 가지 약속을 반드시 지킬 터이니 하느님께서 우리 어머니한테 말지나야, 스테파노 너무 꾸중하지 말아라, 이렇게 귓속말 좀 해주십시오. 예수님 이름으로 기도드립니다. 아멘."

막내는 기도를 마치고 바위 위에서 내려오면서 보았다. 하늘로 가지를 뻗쳐 보이고 있는 나무들, 그 나뭇가지들의 끝부분들이 뽀오얀 안개를 두르고 있는 듯하지 않는가. 아니, 나뭇가지 끝에서 비어져 나오는 듯한 안개 기운에는 엷은 푸르름도 배어 있었다. 그렇다. 저것은 봄기운이다.

막내는 갑자기 저의 가슴에도 푸른 물이 오르는 듯한 느낌을 받았다. 힘이 생긴 막내는 저도 나무인 양 두 팔을 하늘로 쳐들고서 집을 향해 달렸다.

어머니는 텃밭에서 봄동을 솎고 있었다. 숨을 헉헉 몰아쉬며 두 팔

을 치켜들고 올라오는 막내를 보자 어머니의 얼굴에는 온통 미소가
번졌다.

그러나 막내의 얼굴에는 불안한 표정이 일었다. 두 손으로 성적표
를 내밀 때는 더욱 어두웠다. 막내는 가만히 어머니의 얼굴을 살폈다.
그런데 이게 웬일인가. 어머니의 얼굴에 잔잔한 미소가 걷히지 않고
그대로 있지 않은가.

막내는 물어보았다.

"어머니, 화나지 않으세요?"

어머니는 미소 띤 표정인 채로 대답했다.

"화난다."

"그런데 왜 얼굴에 웃음이 있으세요?"

"내가 얼굴을 찌푸리고 있으면 네 성적표의 을이 갑자기 갑으로 변
하느냐?"

"그렇지는 않지요."

"헌데 내가 왜 얼굴을 찌푸리느냐?"

막내는 발부리로 밭두렁의 작은 돌을 들췄다. 그러자 놀랍게도 실
밥 같은 뿌리가 막 생기고 있는 씨앗이 거기에 있었다.

"어머니, 여기 좀 보세요."

"왜? 무어가 있느냐?"

"돌 밑에서도 씨앗이 움을 틔우고 있어요."

"세상에! 봄이 오는 것을 돌 밑에 있던 풀씨조차도 알고 있구나."

"어머니."

"왜?"

"하느님이 귀띔해주신 거지요? 그러기에 캄캄한 돌 밑에서도 풀씨가 알게 된 것이지요?"

"하느님이 귀띔? 원 녀석도. 그래 그래. 하느님이 귀띔해주신 게로구나."

"어머니, 하느님께서 어머니한테도 귀띔해주시던가요?"

"내한테도?"

어머니는 흙 묻은 손을 털다 말고 어리둥절해 했다. 막내는 '아냐요, 아냐요' 하고 집으로 달아났다. 그러나 막내는 마음 속으로 짐작하고 있었다. 하느님께서 '말지나야, 네 아들 스테파노의 성적이 나쁘다고 너무 나무라지 말아라, 알았지?' 이렇게 귀띔해주셨으리라는 것을.

마음을 놓은 막내는 쾌보를 미루에다 던져놓고 나가 놀았다. 어느 때보다도 신나게, 그리고 늦게까지 동네 아이들하고 쏘다니다가 밤이 이슥해서야 집으로 돌아왔다. 손발을 씻고 저녁밥을 먹었다. 태평하게 잠자리로 들려고 하는 막내를 윗목에서 성서를 읽고 있던 어머니가 불렀다.

"수환아."

"네."

"너 지금 무엇 하느냐?"

"자려고요, 어머니. 피곤해요."

"내가 하라고 한 교리숙제는 해놓았겠지?"

막내는 가슴이 덜컥 내려앉았다. 그제까지 해놓으라고 한 교리숙제를 오늘로 미룬 채 손도 안 대고 있었던 것이다. 어머니는 성서의 책갈피를 넘기면서 다시 물었다.

"왜 대답이 없느냐?"

막내는 엉거주춤 일어나 앉았다. 어머니가 거푸 물었다.

"안 한 게로구나. 그러니까 대답을 못하지."

막내는 무릎을 꿇고서 말했다.

"어머니, 교리숙제는 못했습니다."

"왜?"

"깜박 잊고 있었습니다."

"그렇다면 하지 못한 것이 아니라 하지 않은 게로구나."

"……"

"넌 깜박 잊고 밥을 안 먹은 끼니는 없지?"

"네."

어머니는 성서를 덮고서 막내 앞으로 다가왔다.

"수환아, 밥을 굶어서는 안 되는 것처럼 하느님의 말씀도 굶어서는 안 된다."

어머니의 얼굴은 낮에 꽃그늘 같은 미소를 띠고 있던 것과는 정반대였다. 검불을 대면 금방이라도 불이 날 것 같은 무서운 노기를 머금고 있었다.

"이 에미의 소망이 무언 줄 아느냐?"

"……"

"이미 때를 놓쳐버린 윗 누나나 형들한테는 미안한 일이다. 그러기에 더욱 이런 열망이 이는지도 모르겠다. 너희 누니와 형들의 몫까지 합쳐져 있으니 말이다."

막내는 꺼져 들어가는 목소리로 물었다.

"어머니의 소망이 무엇인데요?"

"동한이와 니가 신부가 돼주었으면 하는 것이다."

어느새 어머니 목소리에는 물기가 배어들고 있었다.

"내가 행상 다니는 것이 어린 너희 형제한테는 어떻게 보일지는 모르지만 내한데는 슬픔보퉁이이기도 하다. 한 여자로 이 세상에 태어나서 몸에 비단옷 걸친 남들을 볼 때 어찌 부럽지 않겠느냐, 그리고 남의 집 개를 짖게 하고 물건 하나 팔아달라고 했다가 문전박대를 당했을 때 어찌 내 눈에 눈물이 고이지 않겠느냐. 남의 처마 밑에서 하염없이 소낙비를 피할 때도 슬퍼지고 물건을 하나도 팔지 못할 때는 더욱 배가 고파오지. 그러나 나는 마음이 약해지려 할 때마다 너희 할머니를 생각하곤 했었단다. 나의 이런 서러운 고통쯤이야 너희 할머니에 비하면 지푸라기 한 낱 같은 것이라고. 그리고 나서 너희 형제를 떠올리면 힘이 불끈 솟는 것이야. 내한테는 쌀곳간의 열쇠는 없지만 그것보다 더 자랑스러운 하느님이 좋아하는 아들이 있노라고. 그런데 이 철없는 녀석아. 네 지금 그 꼴이 무엇이냐.”

막내는 일어나서 밖으로 나왔다. 마당가에 있는 미루나무 밑둥에서 회초릿감 가지 하나를 꺾었다. 막내는 그 회초리를 들고 방 안으로 들어왔다. 어머니 앞에 회초리를 내밀어 놓고 바지를 걷어올렸다. 막내는 말했다.

“어머니, 저를 때려주세요.”

그러나 어머니는 매를 들지 않았다. 막내의 종아리를 손바닥으로 한 번 만져보고는 십자고상이 걸려 있는 벽쪽으로 돌아앉았다.

막내는 기도하는 어머니의 어깨가 조금씩 떨리고 있는 것을 보았다. 아아, 어머니도 하느님 앞에 보이지 않는 회초리를 내밀어 놓고 있는 것일까. ‘하느님, 제 탓입니다. 제 종아리를 때려주세요’ 이렇게 말하고 있는 것일까.

“어머니, 잘못했습니다. 다시는 어머니 마음을 아프게 하지 않겠습니다.”

막내는 어머니의 등에 얼굴을 묻었다. 그러고는 어머니의 무명적삼

이 흠뻑 젖도록 울었다.

이튿날 잠자리에서 일어난 막내는 어머니의 이부자리가 벌써 단정히 개켜져 있는 것을 보았다. 막내는 옹기굴로 가서 거기서 일하고 있는 큰형한테 물었다.

"형님, 어머니 어디 가셨어요?"

"대구 큰누나집에 가신다더라."

"그러면 날 데리고 가시지."

"너를 왜 데리고 가?"

"대구 소신학교로 옮겨야 한다고 하셨거든요."

"다음에 가면 되지 뭐. 자, 이 돈 받아 가지고 가서 떡이나 사먹고 와라."

막내는 형이 준 돈 10전을 받아 가지고 집으로 돌아왔다. 필통 속에 감춰둔 5전을 꺼내니 15전이 되었다. 막내는 책보를 챙겨들고 집을 나섰다. 동네 아이들이 학교 가는 날이 아닌데 어디 가느냐고 물었으나 막내는 씩 웃기만 했다.

신작로를 따라 걸었다. 길가 비드나무에 앉아 있는 참새를 쫓았고 냇가에 매어져 있는 소를 향해 '음메에' 해보기도 했다. 문득 막내는 보리밭 언덕에서 부는 버들피리 소리를 들었다.

필릴리 필릴리.

막내는 저 버들피리는 혹시 선자누나가 부는 것인지도 모른다고 생각했다. 언젠가 학교 가는 길에서 막내가 불자, 달라고 해서 가져간 선자누나다. 물론 몇 해가 지났으니 그 버들피리는 아닐 테지만 지금 저 보리밭 언덕에서 버들피리 소리를 내고 있는 것은 선자누나가 틀림없으리라.

막내는 보리밭 언덕으로 달려가다 말고 우뚝 발을 멈추었다. 선자누나를 보면 슬퍼질 것 같았기 때문이다. 막내는 혼자서 두 사람 말을 생각해보았다.

'선자누나, 나 대구 간다.'

'대구에는 왜?'

'소신학교 다니려고.'

'소신학교가 어떤 학곤데?'

'꼭 그런 것은 아니지만 신부님 될 사람들이 다니는 학교래. 우리 동한이 형도 그 학교를 졸업했어.'

'너도 그럼 신부 될 거야? 신부는 결혼 못한다던데?'

막내는 다시 신작로로 올라왔다. 버들피리 소리를 듣지 않으려고 귀를 막고 걸었다. 그런데도 버들피리 소리는 계속 따라왔다.

막내는 달아났다. 버들피리 소리도 쫓아왔다. 숨이 차서 더 달릴 수가 없었다. 막내는 가로수 밑둥을 두 팔로 끌어안고 쉬었다. 그러나 버들피리 소리는 그때까지도 계속 들려왔다.

막내는 가슴 속이 싸아 하니 아리는 것을 느꼈다. 막내는 그때서야 깨달았다. 버들피리 소리는 실제가 아니라 마음 속에서 나고 있다는 것을.

'아아, 이 소리를 어떻게 떼어버릴 것인가.'

하늘을 우러른 막내는 문득 생각이 떠올랐다. '그래, 묵주기도를 하자.' 막내는 호주머니 속에서 묵주를 꺼내었다.

"전능하신 천주 성부,

천지의 창조주를 믿나이다.

그 외아들 우리 주 예수 그리스도,

성신으로 동정녀 마리아께 잉태되어 나시고

본시오 빌라도 치하에서 고난을 받으시고

십자가에 못박혀 죽으시고 묻히셨으며

고성소에 내리시어 사흗날에 죽은 이들 가운데서 부활하시고……."

막내는 걸어가면서 계속했다. 사도신경을 마친 다음 주의기도를 하고, 성모송을 하고. 그리하여 묵주를 한 바퀴 다 굴렸을 때에 마음이 산잔한 호수처럼 가라앉았다.

버들피리 소리는 이제 어디에도 남아 있지 않았다. 막내는 배가 고파왔다. 두리번거리는 막내의 눈에 길가 떡집이 들어왔다. 막내는 호주머니 속의 돈 5전을 꺼내어서 떡을 사먹었다. 그러고는 계속해서 걸었다. 대구 쪽에서 간혹 마차가 왔다.

(당시에는 말을 끄는 마차가 교통수단으로 이용되었다.)

막내는 혹시 그 마차에 어머니가 타고 있지 않나 하여 살펴보았다. 그러나 어머니의 얼굴은 좀체로 보이지 않았다. 막내는 다리가 아팠다. 50리를 족히 걸어온 것 같았다. 군위에서 대구까지는 130리 길이라 했다. 그러니 아직 반도 가지 못한 것이다.

막내는 지나가는 마차를 향해 손을 들었다. 호주머니 속에 남아 있는 돈 10전을 마저 꺼내어서 마부한테 내밀며 말했다.

"저한테 지금 이 10전밖에 없습니다. 아저씨 염치없습니다만 10전어치만 태워주세요."

"10전어치?"

마부는 풀석 웃으며 말했다.

"좋다, 타거라."

마차에는 먼저 탄 손님이 다섯 사람 있었다. 모두가 나이 든 어른이었다. 막내가 올라가자 그중에서 수염도 눈썹도 머리도 하얀 노인이 풀석 웃으며 말했다.

"이 마차가 그래도 저승 가는 것이 아닌 모양이지요."

그러자 쪽진머리에 은비녀를 꽂은 아주머니가 대꾸했다.

"할아버지, 그게 무슨 말씀이세요?"

"아, 내가 볼 때에 나이 든 사람들만 타고 있어서 저승 가는 마차인 줄 알았소. 그런데 저 아이가 타는 걸 보니 이승을 달리는 마차인 걸 일겠다는 말이외다."

은비녀 아주머니 또한 가만 있지 않았다.

"할아버지는 어떻게 살으셔서 그러신가요? 살면서 보면 선감도 떨어지고 익은 감도 떨어지지 않던가요?"

"그러나 나이 먹은 쪽이 먼저 떨어지는 거예요. 늙은이들은 저승 가는 정거장에 많아요."

"아니, 할아버지는 재수없게 왜 자꾸 저승저승 합니까? 우리는 앞 날이 창창한 사람이라구요."

"참, 모르시는구먼. 대구 가는 이 마차가 저승 가는 마차로 변하는 것도 찰나라구요. 아, 이대로 앉았다가 말이 우리를 하늘로 끌면 하늘 가는 것 아닌가요?"

은비녀 아주머니는 속이 상했는지 돌아앉아서 바깥에나 시선을 딘 져놓고 있었다. 할아버지가 다시 입을 열었다.

"세상살이가 여행 같으니까 하는 말이외다. 니다니다 이웅다웅거 려도 금방 지나가는 세월이에요. 미루지 말고 지금을 잘 살아야 지……."

은비녀 아주머니가 또 못 참고 나섰다.

"지금을 잘 살아야 한다고요?"

"그럼요. 내일내일 하다가는 저승사자가 들이닥쳐요. 아주머니는 그런데 어디 가는교?"

"대구 갑니다."

할아버지는 혼잣말인 양 중얼거렸다.

"어디 대구뿐이겠어요. 끝없이 가는 길, 가고 또 가야겠지요."

마차는 어느새 다부동에 들어섰다. 막내가 마차에서 내리려고 하자 마부가 말했다.

"괜찮다. 그냥 대구까지 태워다주마."

그러나 막내는 고개를 저었다.

"아냐요. 여기까지 온 것만도 10전어치가 넘은 것 같아요."

막내는 한사코 마차에서 내렸다. 막내는 마부한테 작별 인사를 하다 말고 보았다. 하얀 머리에, 하얀 눈썹에, 하얀 수염의 노인 또한 마차에서 내려오고 있었던 것이다.

노인은 먼저 막내한테 말을 걸었다.

"너는 혼자서 어디를 가느냐?"

"대구에 갑니다."

"대구라……, 대구는 큰 도시이지. 대구는 무엇 하러 가는고?"

"학교 다닐 겁니다."

"학교? 그래, 공부는 도시에 가서 해야지. 더 많은 사람들이 살고 있으니까. 헌데 무슨 공부를 할라는고?"

"하느님 공부를 할 것입니다."

"하느님 공부? 하느님 공부를 시켜주는 학교도 있는고?"

"네, 소신학교에서요. 우리 형님은 올봄에 졸업하고 서울 동성학교로 갔습니다."

"그래, 알겠다. 신분가 뭔가 하는 서양중 되는 학교 말이렷다."

"네."

노인은 천천히 앞가슴까지 내려오는 수염을 두 손으로 쓰다듬으며 고개를 설레설레 저었다.

"어린애가 중 될 것을 생각했다니 기특한 일이로다."

막내가 걸음을 멈추고 말했다.

"할아버지, 중이 아니라 신붑니다."

"중이나 신부나 장가 안 가는 것은 마찬가지 아니냐?"

막내가 잠자코 있자 노인이 다시 말을 이었다.

"너 음양이라는 것이 무언지 아느냐?"

막내는 고개를 저었다.

"그래, 아직 모를 테지……, 아무튼 도 닦는 일은 이 세상 일 가운데서 가장 어려운 일이다."

"할아버지, 저는 도 닦으려는 것이 아니에요. 어머니께서 사람 낚는 어부가 되는 것이라 했어요."

"사람 낚는 어부? 허허, 별소리를 다 들어보겠구나."

걸음을 옮기면서 생각에 골똘히 잠겨 있던 노인이 다시 입을 열었다.

"어이 사람을 낚는고?"

"하느님의 자녀로 돌아오게요."

"아니, 언제는 도망가 있었나?"

"그러믄요. 죄에 빠져 지내는 사람은 도망가서 그러는 거예요."

"그으래? 그렇다믄 그 낚시에 끼우는 미끼는 무엇인고?"

막내의 얼굴에 미소가 떠올랐다. 곁의 풀나무한테 부끄러움 탈까봐 살며시 노인 곁으로 다가가서 손나팔을 만들어서 말했다.

"하느님의 말씀이어요."

노인은 눈을 물고기처럼 느리게 꿈벅꿈벅 하였다.

"하느님의 말씀이라……, 그럴듯한 미끼로구나."

노인은 한참 말없이 걷기만 했다. 막내도 묵묵히 따라 걸었다. 갑자기 낙엽 지는 듯 후두둑 그림자가 비켜들 갔다. 고개를 들은 두 사람의 눈에 눈이 부시게 푸른 하늘 저편으로 참새가 한 떼 날아가고 있는 것이 보였다.

노인이 하늘에 눈을 둔 채로 물었다.

"저 하늘에 몇 갈래 길이 있는지 알겠는고?"

"하나 아닌가요?"

"하나? 그래, 하나이기도 하지. 그럼 하나만 더 묻자. 저 하늘을 그 물로 뜬다면?"

"한 코로 된 건데요 뭘."

"뭐라고?"

"한 코 그물로 된 것이 하늘이라니까요."

"오오, 그렇지. 그렇고 말고."

노인은 땅에다 작대기로 '天網이 恢恢하여 疎而不漏니라' 고 쓰면서 말했다.

"그러니끼 내 말은 천망이 회회하여 소이불루니라, 곧 하늘의 그물은 넓고 성기어도 새지를 않는다, 이 말 아닌고?"

막내가 고개를 갸우뚱거리자 노인은 고개를 제끼고 껄껄 웃났다.

"그래, 그래. 나이가 들면 쉬운 것도 어렵게 말하는 게 습관이지."

이때 바람이 불어와서 노인의 수염을 웃자란 풀처럼 나부끼게 했다. 막내는 문득 '우리 할아버지도 저처럼 수염을 나부꼈을까?' 하는 생각이 들었다. 처음으로 머리 속에 할아버지의 모습이 떠올랐다가는 이내 사라졌다. 다리를 건너자 황토길이 나왔다. 노인은 다시 입을 열었다.

"너는 이런 꽉꽉한 황토길을 많이 걸어다니도록 하여라."

"왜요? 할아버지?"

"사람을 낚고자 한다고 했지 않느냐? 그리고 황토길에서 우는 사람들의 눈물을 닦아줄 줄 알아야 하고."

"……"

"그러나 이 길에서 너 혼자만 낚싯대를 들었다고 생각하지 마라. 돈을 미끼로 삼은 낚싯대, 감투를 미끼로 삼은 낚싯대, 색정을 미끼로 삼은 낚싯대가 너를 노릴 수도 있어. 조심해야 돼."

앞에 두 갈래 길이 나타났다. 노인은 오른쪽으로 나 있는 길을 가리키며 말했다.

"너는 그 길로 가거라. 나는 이 길로 가야 한다. 잘 가거라."

노인은 막내의 인사도 받지 않고 총총히 노을 지는 서쪽으로 사라졌다.

제2부
•

애야, 너 어디에 있느냐

여기서부터는 김수환 추기경님이 직접 독자에게 말하는 구술형태가 되겠습니다. 그러니까 '나'는 이 앞에까지 나온 '막내'인 김수환 추기경님 자신입니다. —지은이

마음의 그림자

내가 군위국민학교에서 옮겨간 대구의 성 유스띠노 신학교 예비과는 국민학교 5~6학년에 해당한다. 나는 당시로서는 다른 아이들에 비해 나이도 어린데다 성적도 그리 좋은 편이 아니었기 때문에 군위에서 이미 5학년을 마쳤는데도 5학년에 배치되었다.

1933년. 이때의 엄동은 정말 설한이었다. 기숙사에서 생활하는 우리는 아침 5시면 일어나야 했는데 마당 끝에 떠놓은 세숫물이 금방금방 얼어붙을 정도였다. 특히나 나는 정든 얼굴들, 정든 산천의 시골에서 낯설고 물설은 도회지로 막 옮겨온데다 어머니 품안을 벗어나서 기숙사 생활을 해야 했기 때문에 몸도 마음도 함께 추웠다.

우리는 겨울인데도 난방을 하지 않은 방에서 잠을 잤다. 어릴 때는 누구나 땀을 많이 흘린다. 이불 속은 추웠지만, 그러나 이튿날 새벽 잠이 깨어보면 이불이 땀에 축축이 젖어 있곤 하였다. 그런데 하루 일과를 마치고 다시 딱딱한 나무침대로 돌아와 이불을 펴다보면 이불은 간밤의 땀이 밴 자리가 뻣뻣이 얼어 있는 것이었다.

나는 때때로 겉옷을 입은 채로 이불 속에 들어가서 있다가 이불 속이 좀 녹아들면 그때서야 옷을 벗곤 했는데, 어떤 날은 그냥 겉옷을 입은 채로 잠이 들어버리기도 하였다. 기숙사의 변소는 또 운동장을 가로질러 한참 가야 하는 운동장의 끝에 있었다. 밤에 자다가 가야 할 일이 생기면 그야말로 난감했다. 어둠 속을 가야 할 것이 무섭고 살을 에는 듯한 운동장의 바람이 두려웠던 것이다.

나는 군위에서 살 때 막연히 대구를 동경했었다. 그것은 내가 대구에서 태어났다는 귀띔과 황홀한 도회지라는 것을 어른들로부터 자주 들어왔기 때문이었던 듯하다. 그래서 나는 군위에서 살 때 행상 나간 어머니를 기다리느라고 신작로에 나가 있을 때면 멀리 서쪽의 물부리산 너머로 가고 싶다는 꿈을 키웠었다. 물부리산 그 너머에 대구가 있을 거라는 생각에서였다. 그러나 막상 대구로 옮겨온 나는 도시의 회색과 번거로움과 딱딱함에 멀미 증세를 느끼고 있었다.

군위 용대동의 우리 마을 앞길에서 보는 서녘길은 참으로 아름다웠다. 산굽이를 아스라히 돌아가는 신작로 양편에는 키 큰 버드나무들이 줄지어 서 있었다. 거기에 가을 단풍이 들어 버드나무 잎들이 노오랗게 하늘거리던 풍경하며 건너 먼 산 밑 마을에 노을이 들면서 저녁밥 짓는 연기가 초가지붕 위로 솔솔 피어나고 있던 풍경하며.

그것은 내 마음 속에 고이 간직된 화폭이다. 그런데 나는 그 풍경속으로 난 길을 따라 산을 넘고 물을 건너면 마음 빈 곳이 채워지고 동심으로 마음껏 뒹굴 수 있는 초원의 땅이 있으리라 생각했다.

그러나 막상 나와본 도회지는 황량하기만 했다. 거리의 바람도, 사람들의 정도 메마르게만 느껴졌다. 이미 어머니까지도 군위의 용대동 집을 정리해서 대구로 나오고 말았는데 나는 그 용대동 우리 초가집에 살던 때가 그리웠다. 나는 간혹 용대동에 살 때 입었던 옷이며 물건들을 끄집어내 보곤 했다. 호주머니를 뒤집어보기도 하고 책갈피를 털어보기도 했다. 그러면 호주머니 어디에서 개구리 소리가 개골개골 쏟아져 나오지 않을까, 대나무숲 바람이 우수수수 흘러나오지 않을까, 그런 막연한 기대가 있었다. 허나 나의 용대동 시절에 입었던 옷가지며 물건들한테서는 먼지밖에 털어지지 않았다.

그런데 어느 날 아침이었다. 윗옷을 갈아입고서 무심코 호주머니 속에 손을 넣어본 나는 한쪽 귀퉁이에서 잡히는 딱딱한 것을 끄집어내었다. 종이에 싸인 채로 몇 번 빨래통 속에 들어갔다 나와서인지 문드러진 종이까지도 딱딱하였다.

나는 그것을 조심스럽게 벗겨보았다. 그랬더니 그 안엣것은 뜻밖에도 1원짜리 동전이었다. 학교 기숙사로 들어온 뒤로는 처음 보는 돈이었다. 그것은 우리한테 돈을 가지는 것을 허락하지 않는 학교 규칙 때문이었다. 누구든지 돈이 있으면 그것을 선생님한테 맡겨두라고 했다. 만일 가지고 있다가 들키는 날이면 집으로 쫓아보낸다고 했다.

1원짜리 동전을 내려다보고 있는 나는 순간 숨이 흠칫 멈춰졌다. 그리고 가슴이 두방망이질 되는 양 두근거렸다. 마음 속에서 어떤 음모가 막 꾸며진 때문이었다. 이때부터 나의 한 마음은 두 쪽으로 나누어졌다.

한쪽이 말했다.

"좋은 꾀가 떠올랐어."

다른 한쪽이 대꾸했다.

"그건 나쁜 꾀야."

"뭐가 나빠? 여기는 재미없는 학교야. 맨날 기도하고, 침묵하고, 공부하고, 기도하고, 침묵하고, 공부하고. 정말 지겹지 않니? 규칙도 숨막힐 듯이 엄격해서 잘못하면 소금에 밥을 먹어야 하고."

그러나 다른 한쪽은 침묵이었다. 한쪽만이 계속 떠들어대었다.

"집에 있던 날을 생각해봐, 동무들하고 재미있게 놀 수 있지. 기도 적당히 해도 되지. 엄마가 맛있는 음식 해주지. 무엇보다도 엄마하고 함께 잘 수 있으니 얼마나 좋아."

"......"

"자, 이렇게 하자고. 이 1원짜리를 일부러 보이는 자리에 두어서 들키게 하는 거야. 그러면 이 학교에서 쫓겨나 집으로 가게 돼."

"......"

"무일 망설이고 있어. 자, 어서 해보라니까. 집에 가고 싶지 않아?"

나는 마음 속의 꼬마 악마가 시키는 대로 했다. 책상 서랍을 열고 검사하는 신부님 눈에 얼른 띄는 자리에 1원짜리 동전을 놓아두었다. 그러나 식당에 가서 식사를 하고 돌아와도, 화장실을 다녀와도, 운동을 하고 돌아와도 신부님은 좀체로 나를 부르시지 않았다.

나는 좀 더 대담해졌다. 그 동전을 이제는 공부하는 책의 중간 갈피에다 꽂아놓았다. 그렇게 며칠이 지나갔다. 그동안에 신부님은 내 곁을 열 번이 넘게 지나다니셨다. 어떤 때는 곁에 서서 내 자리를 유심히 지켜보기도 했다. 나는 금방이라도 신부님이 내 뒷덜미를 잡아 일으킬 것 같아서 조마조마하곤 했다. 나는 진땀을 흘리며 기다렸으나 신부님은 그냥 무심히 지나갈 뿐이었다. 그러던 어느 날, 수업을 마칠 무렵에 신부님이 나를 불렀다.

"김수환."

"네."

"왜 얼굴이 그러느냐? 어디가 아프니?"

"아닙니다."

"그렇다면 지금 곧 고해성사실로 오너라."

오오, 드디어 탄로가 났다. 나는 이제 이 학교에서 쫓겨나게 되었다. 순식간에 내 눈 앞으로는 무수한 그림자가 지나갔다. 아버지의 그림자, 어머니의 그림자, 누나들의 그림자, 형들의 그림자…….

나는 부들부들 떨렸으나 이제 결정 났으니 담대해지자고 마음먹었다. 그러나 이게 무슨 일인가. 고해성사실에 간 나에게 신부님은 걸레를 내밀면서 청소해놓고 돌아가라고 말하지 않는가.

나는 이날 밤에 나의 퇴교 음모에 빌미가 되어주길 바란 1원짜리 동전을 멀리 학교 담장 밖으로 던져버리고 말았다.

"가거라, 이 가치 없는 것아."

그때까지 내내 침묵하고 있던 나의 다른 한쪽이 마침내 내지른 한마디였다. 그렇다고 나를 바깥 세계로 끌어내보려고 하는 작은 악마의 유혹이 아주 사라진 것은 아니었다. 늘 마음 한쪽 귀퉁이에 웅크리고서 호시탐탐 기회를 노리고 있었다. 그러다가 내 의지가 또 한 번 안개걸처럼 허물어진다고 판단되었을 때 결정적으로 음흉한 음모를 꾸몄다.

작은 악마는 '기회는 이때다' 고 환호하였을 것이다. 그러니까 내가 대구의 성 유스띠노 신학교의 예비과를 졸업하고 서울 동성학교 을조 (갑조는 상업학교 코스로 일반학생들이었고, 을조는 신부 코스로 신학생뿐이었다)에 입학하여 2학년이 되었을 때였다.

여름방학이 거의 끝나서 학교로 돌아가야 할 날이 다가왔는데도 영 마음이 내키질 않았다. 나의 한쪽이 또다시 꿈틀거리며 나를 부추겨 대었다.

"학교 기숙사로 돌아가야 한다고? 싫지 않나? 싫지? 그래, 머리 아 플 거야. 기회는 이때야. 돌아가지 말라구. 도망가, 도망가자니까."

"……"

"지금 결정하지 않으면 점점 더 어려워져. 나무를 봐. 앞길을 막는 것이 있을 땐 굳어지기 전에 허리를 구부려야 다른 길을 갈 수 있거 든. 지금이 절체절명의 기회라구, 자. 숨어, 어서."

"……"

"병원의 하얀 시트 속으로 숨는 거야. 거기만큼 좋은 데가 없어. 신 부님도 속아 넘어갈 거야. 몸이 아파서 학교를 못 나니셨다는데야 어 떻게 하겠어."

나는 완전히 그쪽의 포로가 되었다. 머리 아프게 번뇌를 하여서인 지 정말로 몸도 마음도 병색이었다. 나는 담임 신부님을 찾아가서 학 교를 좀 쉬어야겠다고 말했다. 신부님은 눈을 동그랗게 떴다.

"뭐라고? 아파? 아니, 네처럼 건강한 학생이 어디가 아파?"

나는 시침을 뚝 떼고 대답했다.

"머리가 아픕니다."

"머리가? 다른 데는 모르지만 머리가 아프다니 심각한 일이다. 내가 진료요청서를 써줄 테니 성모병원에 가서 진찰을 우선 받아보아라."

일이 생각 밖으로 꼬이고 있었다. 나는 내가 아프다고 말하면 담임 신부님이 집에 가서 휴양하고 오라고 할 줄 알았다. 그러면 다시 집으로 돌아가서 쉴 수 있다. 이 얼마나 안락한 일인가.

그런데 담임 신부님은 내가 머리가 아프다고 말하니까 아주 대단한 병으로 생각했는지 의사의 진찰을 받아보라고 한 것이다. 나는 할 수 없이 병원을 찾아갔다.

의사는 나를 무심히 맞아주었지만 나는 무심할 수가 없었다. 의사의 진찰이 몸의 병이 아닌 마음의 병을 찾아낼 수 있다면 나는 중환자로 판정받을 수 있을 것이라는 생각을 하기도 했다.

그런데 이것저것 진찰을 하던 의사는 고개를 끄덕이며 말했다.

"머리가 안 아플 수가 없지요."

나는 어리둥절했다.

"네?"

"머리 아프게 되어 있다구요."

"어디가 말입니까?"

"축농증이어요. 만성이어서 수술해야겠어요."

나는 햇빛이 들어와 있는 창밖 벽돌담 밑을 멍하니 내다보고 있었다. 한낮이어서 햇빛은 가장 깊은 데 있는 쥐구멍의 거미줄까지도 환히 비추고 있었다.

나는 이때 나의 한쪽이 조용히 말하는 소리를 들었다.

"하늘 아래인데 어디로 숨겠다는 말이냐."

그렇다. 하늘 아래에서 숨어보려고 한 내가 바보다. 모래알 하나 밑, 검불 하나 뒤까지도 모두 알고 있는 하늘이 아닌가 말이다. 그런데 나는 어리석게도 병원 홑이불 밑으로 숨고자 하였다. 나는 얼굴이 발갛게 달아오름을 느꼈다.

나는 의사의 지시대로 병원에 입원을 했고, 그리고 수술을 받았다. 어느 날, 병실에 있는 나를 동한형님이 찾아왔다. 우리는 병원 뜰에 있는 벤치에 앉아서 얘기를 나누었다.

"의사 선생님을 만나뵈었더니 니가 어떻게 그렇게 오래 참고 지냈었는지 모르겠다고 하더구나."

"아니야, 형. 사실은……."

"뭐가? 다른 사실이 있어?"

"응, 사실은 기숙사로 들어가기 싫어서 꾀를 부린 거야. 병이 났다고 하면 쉬라고 할 줄 알고 말이야."

동한형님은 푸 하고 웃음을 터뜨렸다. 나는 부끄러워서 뒷머리나 만질 수밖에 없었다.

"그러니까 병이 난 게 아니고 아픈 척 꾀병을 앓았다는 말이지? 그런데 막상 병원에 와서 진찰을 받아보니 병이 있어주었다 이거야?"

"맞아, 형. 형이 한 말 그대로야."

그러나 더 크게 웃을 줄 알았던 형은 정색을 하고 말했다.

"하느님께서 수환이 너를 참으로 사랑하시는 모양이다."

"형, 갑자기 그게 무슨 말이야?"

"생각해보렴. 꾀병 부려서 도망가려고 한 너를 벌주시기는커녕 진짜 병 찾는 기회로 만들어주셨으니 말이야. 이보다 더 큰 사랑이 어디 있겠니?"

나는 콧등이 찡 하니 우려왔다. 그리고 이내 눈에 눈물이 핑 도는 것을 느꼈다. 그것은 못난 나, 부족한 나에게 왜 이렇게 하느님은 은혜를 퍼부어주시는지 감격하는 마음에서였다.

이 이후부터 나는 도망갈 궁리는 하지 않았지만 과연 내한테 신부될 자격이 있는가 하는 또 다른 회의가 따랐다. 이때부터서는 내 안의 것들도 둘로 나뉘지 않고 하나가 되어 나를 괴롭혔다.

"가시밭길을 맨발로 걷는 것이지만 그러나 가시에 묻힌 네 핏방울이 장미꽃으로 피는 거야. 과연 그만 한 피의 자격이 있느냐고?"

나는 대답하지 못했다.

"향나무는 저를 찍는 도끼에도 향을 준다고 했다. 사제의 길을 가려면 마땅히 이같은 향나무이어야 하는데 자신이 있느냐?"

물론 나는 머뭇거리기만 했다.

"너가 지금 지니고 있는 사랑과 소망과 신앙의 양으로는 한 인간으로서 살아가기에도 부족한 것이 아니냐?"

나는 고개를 끄덕일 수밖에 없었다.

당시 우리 학교에는 프랑스인 공벨 신부님이 있었다. 이 신부님은 나의 지도신부이기도 했다. 어느 날 이 공벨 신부님이 이런 강론을 했다.

"양 우리가 있다. 여기에 목자는 문으로 들어오나 도둑은 울을 넘어서 들어온다. 너희 중에도 이런 도둑이 있다. 그런 사람은 하루빨리 여기에서 나가야 한다."

나는 곰곰이 생각했다.

'양 우리는 물론 하느님의 자식 우리다. 그리고 목자는 사제이며 악마는 도적이다. 목자는 문으로 들어오나 도적은 울을 넘어서 들어온다고 했지. 그렇다면 나처럼 어머니의 권유에 못 이겨 온 사람은 곧 울을 넘어서 오는 것이지 않은가.'

나는 공벨 신부님을 찾아갔다.

"신부님, 저 그만두어야 할 것 같습니다."

"왜 갑자기 그러나?"

"오늘 신부님의 강론을 듣고 제가 바로 울을 넘어온 도적이라는 생각을 하였기 때문입니다."

"왜 하필 네가 그런 생각을 하나?"

"저는 제가 신부 되고 싶어서 자발적으로 들어온 것이 아니고 어머니의 권유에 못 이겨 들어왔기 때문입니다."

"신부가 되고 싶다고 되는 게 아니고 되기 싫다고 안 되는 게 아니야. 어서 나가."

나는 그때 대꾸했다.

"어디서 나가란 말입니까?"

그러자 공벨 신부님은 큰 소리로 명령했다.

"이 방에서 나가! 그러나 학교 문 앞에서는 기도해."

하얀 달밤의 박꽃

나는 한국 사람이다.

엉덩이에 몽고반점이 있고 된장국과 김치를 좋아하고 푸른 하늘을 사랑하며 달밤을 아끼는 한국 사람이다. 초가지붕에 빨갛게 고추 널려 있는 깃만 보아도, 고요한 저녁에 달그락거리는 설거지 그릇 소리만 들려도 그리운 어머니가 떠오르는 평범한 한국 사람이다.

나는 언젠가 경주 토함산에 있는 석굴암을 찾아간 적이 있다. 치음 보는데도 석굴암 부처님은 어디서 많이 본 듯한 정든 모습이어서 한 시간이나 머물렀었다. 나는 로마 바티칸의 유명 미술 작품들도 보았었다. 그러나 그 세계미술사에 우뚝 선 그 어느 작품 앞에서도 나는 5

분 이상을 머문 적이 없었다. 그날 나는 '아, 저 부처님을 조성한 석공과 나는 분명 한 민족이구나' 하는 피의 흐름을 확인할 수 있었던 것이다.

나는 김광섭 시인이 1947년 발표한 〈나의 사랑하는 나라〉라는 시를 기억하고 있다.

지상에 내가 사랑하는 한 마을이 있으니
이는 내가 사랑하는 한 나라이러라

세계에 무수한 나라가 큰 별처럼 빛날지라도
내가 살고 내가 사랑하는 나라는 오직 하나뿐

반만년의 역사가 혹은 바다가 되고 혹은 시내가 되어
모진 바위에 부딪쳐 지하로 숨어들지라도

이는 나의 가슴에서 피가 되고 맥이 되는 생명일지니
나는 어데로 가나 이 끊임없는 생명에서 영광을 찾아

남북으로 양단되고 사상으로 분열된 나라일망정
나는 종처럼 이 무거운 나라를 끌고 신성한 곳으로 가리니

오래 닫혀진 침묵의 문이 열리는 날
고민을 상징하는 한 떨기 꽃은 찬연히 피리라
이는 또한 내가 사랑하는 나라 내가 사랑하는 나라의 꿈이어니

내한테는 이 '나라', 이 '민족'이라는 엄연한 사실을 두고 고통받은 내 젊은 날이 있었다. 나의 유년기부터 청년기까지는 '우리'가 일제 상점 아래에 놓여 있던 때였다.

나는 나의 바로 위인 동한형님을 몇 가지로 부러워한 적이 있는데, 그중에 형님의 생년을 부러워했다. 그것은 1919년, 동한형님이 태어난 그해에 '대한독립 만세'가 삼천리 강산을 휘몰아쳤었기 때문이다.

아아, 이 땅의 산과 강을 깨웠던 '독립 만세' 소리는 얼마나 우렁찬 것이었을까, 그런 생각을 하면서 나는 동성 학생시절에 북한산을 자주 올라다녔다. 물론 친구들과 함께 다닐 때도 있고, 혼자 갈 때도 있었는데, 산 정상에 오르면 노래도 부르고 소리도 지르곤 했다. 그러면 답답한 마음속이 다소 뚫리는 것도 같았다.

나는 언젠가 북한산 마루에서 '내 이 한 몸이 한 덩이 바위로 이 자리에 있었다면' 하고 생각해본 적이 있었다. 그러자 조용한 아침 나라의 하얀 옷 입은 사람들의 평화로운 모습이 스쳐 지나갔다. 외적들의 말발굽 소리도 지나갔다. 주권을 빼앗기고 통곡하는 울음소리도

들리는 듯했다. 정든 땅을 떠나는 유랑의 길손들도 보이는 듯했다. 나는 바위를 손바닥으로 쓰다듬어주면서 중얼거렸다.

"미안하다."

나는 어느 겨울날에 또다시 북한산에 올라갔다. 이번에는 동한형님과 함께였다. 잎을 모두 지우고 기도하듯이 청랭한 하늘을 우러르고 있는 나무들, 아씨시 프란치스꼬 성인의 기도소리인 양 스치는 청빈한 바람하며, 겨울산은 정말 정갈하여 좋았다.

비탈의 소나무 밑에서 쉬면서 나는 침묵의 산에 소리를 내놓았다.

"북한산아!"

메아리가 돌아왔다.

"북한산아아."

소나무 뿌리에 걸터앉아 있던 형님이 말했다.

"너가 무슨 소리를 하려고 그러는지 내가 알아맞혀볼까?"

"알아맞혀봐, 형."

"말 물어보자. 이 말 하려고 그러는 거 아냐?"

"틀렸어, 형."

"그럼 무슨 말 하려는 거야?"

나는 언젠가 쓰다듬어본 산마루의 바위를 올려다보면서 대꾸했다.

"북한산아, 미안하다. 이 말 하려는 거야, 형."

형님은 눈으로 이렇게 묻고 있었다.

'그게 무슨 말이니? 왜 북한산한테 미안하다는 거니?'

나도 눈으로 대답했다.

'우리나라 사람이 잘못해서 일본한테 우리 강산을 빼앗겼지 않는 가요?'

갑자기 눈발이 하나씩 둘씩 불티처럼 나타났다가는 사라졌다. 형님이 비로소 입을 열었다.

"너가 신부가 될 거니? 아니면 독립운동을 할 거니?"

나는 대답하지 않았다. 그러나 나는 말하고 싶었다.

'형, 어머니만 아니라면 나는 만주벌판을 달리는 독립운동가가 되고 싶다.'

아무 말도 못하고 눈물만 글썽이고 있는 나의 손을 형님이 꼭 잡아주었다. 나는 겨울 소나무 잎새로 바람 지나는 소리를 우우우 들었다.

나는 이날의 감정을 일기장에나 써놓았다.

'형, 하얀 달밤 초가지붕에 피어난 박꽃을 본 적이 있지? 색깔이 있는 것도 아니고, 화관이 아름다운 것도 아닌 꽃, 누구 보아달라고 피는 꽃은 더욱 아니지. 그저 달이나 뜨면 배시시 수줍은 미소나 짓는 듯한 꽃. 그 슬픔을 시닌 듯한 박꽃을 나는 언제부터인지 오늘의 처지에 놓인 우리 민족 같다는 생각을 하곤 해. 저렇게 하얗게 여위다가 박도 맺지 못하고 저버리면 어떡하나, 그런 걱정에 오늘밤도 가슴이 메어. 형, 박꽃은 지글거리는 저 태양의 횡포를 언제나 벗어나게 될

까. 하늘에는 또 먹구름이 가득하여 폭풍우가 올 것도 같은데…….'

그런데 이 일기를 기숙사 사감 신부님한테 들키고 말았다. 사감 신부님은 나를 불러서 꼬치꼬치 캐물었다.

"박꽃은 그렇다 하자. 그런데 태양의 횡포란 누구를 말하는 거냐?"

"……"

"그리고 먹구름이 가득하여 폭풍우가 올 것 같다고 했는데 이건 또 무슨 말이냐?"

나는 대답하지 않았다. 그러나 사감 신부님은 짐작은 하고 있는 듯했다. 태양의 횡포란 일본을 가리키는 것이며 폭풍우란 전쟁이라는 것을.

"너 이래 가지고 어쩔 셈이냐?"

내가 계속 침묵만을 지키자 사감 신부님은 '휴유' 한숨을 쉬고는 자신이 먼저 바깥으로 나가버렸다.

그러나 이것은 전초전에 불과했다. 얼마 후에 기말 시험을 치르게 되었는데 교장 선생님한테까지 불려가는 사건이 생기고 말았다. 그러니까 수신 과목 시험 때였다. 우리 학생들은 시간 중에 배운 철학자 소크라테스에 대한 문제가 나올 줄로 알고 있었다. 그런데 막상 시험지를 받아보니 꿈에도 생각하지 않은 문제가 출제되어 있었다. 곧 '청소년 학도에게 보내는 일본 천황의 칙유를 받든 황국 신민으로서의 소감을 써라' 는 것이었다.

　나는 눈앞에서 까만 것이 지나는 것을 느꼈다. 그것은 분노였다. 나는 한 시간 내내 꼼짝하지 않고 앉아 있었다. 시험지를 걷어갈 때서야 이름난에 성명을 적어넣고 답안을 써야 하는 빈 난에 이렇게 두 줄을 적어내었다.

　'① 나는 황국 신민이 아님, ② 따라서 나는 소감이 없음.'

　이튿날, 나는 교장 선생님 방으로 불려갔다. 거기에는 다른 선생님도 두 분 있었다. 두 선생님의 얼굴은 굳어 있었고, 좀체로 화내는 일이 드문 교장 선생님인데 안경이 떨리고 있는 것 같았다. 교장 선생님이 내 시험답안지를 들어 보이며 물었다.

　"학생 것이 틀림없지?"

　"네."

　"학생의 이런 행동이 잘한 것이라고 생각하나?"

　"저는 제가 생각하고 있는 그대로를 밝힌 것뿐입니다."

　교장 선생님의 손바닥이 내 뺨으로 철썩 올라왔다.

　"이놈아, 지금이 어느 때인 줄 알어? 너 하나의 이런 감정 표현으로 학교가 당할 고통을 생각이라도 해보았나?"

　옆에 서 있던 한국인 선생님이 나섰다.

　"일인 고등계 형사들한테 들키시 않도록 숨기겠습니다. 고정하십시오."

나는 그때 나도 불쌍하지만 교장 선생님도, 선생님들도 불쌍하다는 것을 알았다. 우리는 일본한테 억눌려 지내는 불쌍한 민족이었던 것이다.

1941년. 내 나이 스무 살. 그해에 나는 동성학교를 졸업하고 대구교구 장학생으로 선발되어 일본으로 유학을 떠났다. 내가 입학한 곳은 동경에 있는 상지대학 철학과였다.

이 무렵 일본 군국주의는 전쟁준비에 광분하여 우리 민족에 대한 압제를 더욱 심하게 조이고 있었다. 곧 이 전해인 1940년 2월에 창씨개명령이 내려졌고, 8월에는 동아일보와 조선일보가 폐간되었으며, 10월부터는 황국신민화 운동이 강행되고 있었던 것이다.

이런 어둠 속에서도 별처럼 반짝 나타난 소식이 있다면 그것은 중국 중경으로 이전한 대한민국임시정부가 한국광복군 총사령부를 설립하였다는 것이라고 할 수 있었다.

그러나 어둠의 세력은 마침내 천둥벽력을 일으켰다. 내가 예과 1학년이던 해(1941년) 12월 8일에 일본은 미국의 진주만 공격을 감행함으로써 태평양전쟁을 일으켰던 것이다.

전쟁은 날로 치열해져 갔다. 일본이 우리 민족을 전쟁터로 내몰려는 책동도 시작되었다. 역사에도 부끄러운 정신대라는 이름이 이때 생겨났으며, 이 땅의 젊은이들이 왜 싸워야 하는지도 모른 채 전쟁터로 나가 피를 흘렸다. 더욱이 그들은 1942년부터서는 우리들한테 우리말, 우리글을 가르치지도 배우지도 못하게 하였을뿐더러 쓰지도 못하게 했다. 1943년 가서는 학생들에게까지 학병제라는 것을 실시하였다.

나는 어느 날, 부사감인 일본인 교수님의 방문을 받았다. 그분은 평소에 나를 믿고서 무슨 말이든지 하시는 분인데 문득 이런 말을 하였다.

"내가 겪어보니 한국인 학생들은 좀 스루이하더군."

"스루이라는 것은 교활하다는 말 아닙니까?"

"그렇지, 한국인 학생들이 왜 그런지 모르겠어."

"그렇다면 교수님, 한국인들이 지금 일본의 식민지 치하에 있다는 것은 아시지요?"

"그것과 관계가 있을까?"

"저는 있다고 생각합니다. 그래야 살아남을 수 있으니까요. 아니, 그렇게 되도록 질 나쁜 일본인들이 뒤에서 조종하고 있다는 점도 인정해야 합니다."

"조종하고 있다고?"

"그렇습니다. 교수님도 식민지 정책이 어떻다는 것은 대강 알고 계시지 않습니까? 이용하여 동화시키려 하고 있지 않느냐고요. 약자는 비굴해질 수밖에 없습니다."

"그러나 희망을 보아야지."

"희망이라뇨? 교수님, 한국인 학생에게 지금 무슨 희망이 있습니까? 대학을 졸업하고서 민족을 위해 무슨 일을 할 수 있습니까?"

"꼭 민족을 위해서만 일을 해야 하나?"

"지금의 제 심정은 그렇습니다. 조상 대대로 써온 성도 이름도 일본식으로 바꾸길 강요당한 불쌍한 민족입니다. 우리 고국의 어떤 노인분은 본 이름을 자손들이 영영 잃을까봐서 집 안의 주춧돌에 새겨 두게 하였다는 말도 들었습니다."

"……"

"그것뿐만이 아닙니다. 소학교에 갓 들어간 어린 아이가 일본말을 쓰지 않고 우리 한국말을 쓰고 놀았다고 해서 일본인 선생님이 불러서 매를 때렸다는 눈물 나는 얘기도 들었습니다. 이 불쌍한 민족을, 배운 우리가 어찌 내 몰라라 버려두고 다른 일을 할 수 있겠습니까?"

나는 목이 메어서 더 이상 말을 할 수가 없었다.

만약 이날 일본 고등계 형사가 우리 방문 앞을 지나다가 내 얘기를 들었더라면 나는 당장에 체포되어 갔을 것이다. 그러나 다행히도 고등계 형사가 지나다가 들은 게 아니고 나를 따뜻이 보살펴주시는 독일인 게펄트 교수 신부님이 들으신 모양이었다.

사흘 후에 나는 게펄트 신부님의 부름을 받았다.

유리창 너머로 해지는 풍경을 바라보고 있던 신부님은 의자에서 일어나며 자리를 권했다.

"앉게."

나도, 신부님도 한동안 침묵이었다. 유리창에 빠알간 노을빛이 올라왔다. 신부님이 입을 열었다.

"며칠 전 우연히 자네 방 앞을 지나다가 자네가 어떤 분과 토론하는 얘기를 듣게 되었네. 예의가 아닌 줄 알면서도 흥미가 있어서 엿듣게 되었지."

"아, 부사감님과 함께 있었던 때 말이군요."

"그래, 그런데 자네는 겉으로 볼 때는 모르겠는데 가슴속에 굉장히 뜨거운 불덩어리를 지니고 있더군. 잘못하면 자네 화상 입겠어."

"그날 제가 좀 흥분했었습니다."

신부님은 노을로 불이라도 붙이려는 듯 담배를 유리창에 갖다대었다. 그러나 담배에는 불이 옮겨오시 않았다. 내가 웃자 신부님도 따라 웃었다. 신부님이 불이 붙지 않은 담배를 빨아보려다가 내려놓으며 물었다.

"자네, 학병으로 나가야 한다는 것을 알고 있겠지?"

"알고 있습니다."

"그게 현실이라구."

"그러나 신부님, 저는 기왕 바칠 목숨, 우리 민족을 위해 쓰고 싶습니다."

"그날 얘기의 결론도 그렇더군."

"저는 정말이지 일본 학병으로 전쟁터에 나가고 싶지 않습니다. 어쩔 수 없이 가게 된다면 훈련을 받은 후 중국 쪽으로 파견되었으면 합니다."

"왜 하필이면 중국 쪽이지?"

"중국이나 연해주에서 활약하는 우리 독립군 쪽으로 넘어가서 항일전선에 나서고 싶어서입니다."

신부님이 이번에는 성냥으로 담배에 불을 붙여 물었다. 담배연기를 한숨에 섞어 내놓으면서 내 본명을 불렀다.

"김 스테파노."

"네, 교수님."

"분명히 말해보게. 그날도, 그리고 지금도 자네는 하느님 이야기보다는 정치적인 이야기를 더 많이 하고 있네. 자네는 장차 무엇이 되려고 그러나?"

나는 서슴없이 대답했다.

"우리 민족이 나를 필요로 한다면 그쪽 길로 가고 싶습니다."

"그쪽 길이란 정치, 곧 혁명가의 길을 말하는 것이겠지?"

"그렇습니다."

신부님은 반도 안 탄 담배를 부벼껐다. 그러고는 내처럼 목소리에 힘을 주어 말했다.

"아니야. 자네한테는 신부 될 자질이 있어. 신부가 돼야 하네."

나는 물었다.

"우리 민족이 신부를 필요로 합니까?"

"그렇지. 자네네 어두운 시대의 김대건 신부님을 생각해보게."

나는 단호히 거부했다.

"아닙니다. 저는 신부가 되기에 너무도 부족함이 많습니다."

"바로 그 점이야. 하느님이 차고 넘치는 사람을 찾고 있는 것이 아니라 부족하고 빈 사람을 찾고 있네."

나는 또 한 번 고개를 저었다.

"그것도 사람 나름입니다. 하느님을 위해 나를 불태울 수 있어야 하는데 저는……."

"아니야. 에수님을 보게. 그분이 선택하신 사람들이 완전한 사람들이냐구. 첫 제자인 베드로만 보아도 늘 실수 투성이고, 사도 바울도 자기를 가리켜서 질그릇 같다고 하지 않았느냐 말이야."

나는 말문이 막혔다. 창밖을 보았다. 어느새 밤 안개가 끼이들고 있었다. 나는 문득 고향을 생각했다. 이제 막 초가지붕의 하얀 박꽃이 피어나고 있을까. 나는 일어나서 게펄트 신부님한데 하직 인사를 했다.

"돌아가겠습니다."

그후, 몇 달 가지 않아서 내한테도 학병입영 통지서가 날아왔다. 나는 친구 남규일을 찾아갔다. 후에 부산 성모고 교장을 지내신 분인데 그와 나는 같은 날 학병입영 통지서를 받은 처지였다.

"넌 어떡할래? 순순히 학병으로 입영할래?"

친구는 분연히 고개를 저었다.

"아니야. 우리 독립군으로 가겠어."

"그렇다면 만주로 넘어가야 할 텐데?"

"내 고향은 북쪽이잖아. 원산으로 귀국해서 덕산수도원에 가서 숨었다가 기회를 봐서 국경을 넘을 생각이야."

나는 귀가 번쩍 틔었다.

"나도 데려가줄래?"

"정말이야?"

"그럼, 내가 왜 헛소리를 해."

우리는 함께 떠날 날과 배편을 약속했다.

그런데 가슴 두근거리며 그날을 기다리고 있을 즈음에 나는 덜컥 독감한테 뒷덜미를 잡히고 말았다. 친구가 말했다.

"차라리 잘된 거야. 우리가 함께 간다면 의심을 받을 텐데……, 내가 먼저 갈게. 가서 이것저것 알아보고 계획을 짜서 연락할 테니 그때 나를 찾아와."

친구는 떠났다. 나는 독감열에 들떠서 지내면서 그의 연락을 기다렸다. 그러나 내 독감열이 내렸는데도 그로부터 아무런 소식이 없었다. 나는 담담했다.

나는 친구에게 전보를 쳤다.

'독감 완쾌 급 소식 바람.'

간절히 기다린다는 것은 정말 몸살 나는 일이었다. 바람에 문만 흔들려도 몸의 잔털까지도 모두 일어서는 듯 긴장되곤 했다.

마침내 내한테 한 통의 편지가 전달되었다. 그런데 겉봉투의 글씨가 낯설었다. 편지 봉투를 열어본 나는 그제서야 사정을 알 수 있었다. 그 편지는 친구의 아버지가 대신 쓴 것으로, 귀국한 남규일은 학병기피자로 경찰서에 잡혀가 있으니 날더러 다른 생각하지 말라는 내용이었다.

나는 실망하였다. 사면이 모두 막힌 삼삼한 벽 속에 홀로 갇혀 있는 것 같았다. 나는 짐을 챙길 수밖에 없었다. 그리고 게펄트 교수님한테 작별인사를 하러 갔다.

성서를 읽고 있던 신부님은 "오오, 우리 스테파노" 하면서 반겨주었다. 찻물 끓는 소리가 조용히 들렸다. 신부님이 물었다.

"언제 가지?"

"내일이라도 떠나겠습니다."

"어디로 가는데?"

"저들이 바라는 데로 가게 됩니다."

신부님이 달그락달그락 찻잔을 꺼냈다. 찻잔에 차를 따르며 혼잣말처럼 말했다.

"하느님을 원망하겠지."

"……"

"한편으로는 하느님이 정말 계시냐고도 묻고 싶을 테고."

"신부님, 찻잔이 넘칩니다."

"예수님도 이 지상에서의 마지막 순간에 하느님께 나를 버리시냐고 절규하셨어."

"신부님?"

"차가 식는군, 들게."

"하느님은 결국 정의시지요?"

"그렇지. 정의이시지. 사랑이시고. 믿게나. 세상 사람들이 다 버려도 우리 하느님은 절대 버리지 않네."

나는 고개를 들어 신부님의 얼굴을 쳐다보았다. 신부님의 움푹 파인 눈에는 눈물이 찻잔의 차처럼 가득했다. 나는 목이 메어 차를 마실 수가 없었다. 찻잔을 내려놓았다. 신부님도 찻잔을 내려놓았다.

"자, 강복을 주겠네."

나는 신부님 앞에 무릎을 꿇고 머리를 숙였다. 내 머리 위에 얹은 신부님의 손도 기도도 점점 더 세게 떨리고 있었다. 그리고 뜨거운 눈물이 비처럼 떨어지고 있었다. 내 눈에서 흘러내리는 눈물도 좀체로 그쳐지지 않았다.

아아, 어머니

내 나이 스물두 살 때(1941년) 나는 군훈련을 받으면서 사람이 참을 수 있는 한계를 조금씩 넓혀나갔다. 그러니까 참기 힘든 고통도 마치 밤이 가면 새벽이 오듯이 인내하면 다시금 새날이 밝아온다는 것을 이때 체험했다. 또 목마른 다음에 맛보는 한 잔의 생수는 얼마나 단 살맛을 주는가를 이때 배웠다.

먼 거리를 행군할 때면 지쳐서 풀썩 주저앉는 동료도 생기곤 했다. 나는 동료를 부축해 걸으면서 건강한 몸을 주신 하느님과 어머님께 감사하였다.

아아, 어머니. 나는 우리 어머니를 생각하면서 마음에도 싫고 몸에도 고통스러운 군생활을 이겨냈다. 맏아들을 찾으러 세 번이나 황량한 만주 벌판을 헤매고 다니신 우리 어머니. 간도의 연길, 용정을 비롯하여 멀리 하얼빈까지 그 연약한 여자 몸으로 찾아다닌 힘은 어디에서 나왔는지 모르지만 나는 내가 받는 고통쯤은 어머니 것에 비하면 아무것도 아니라는 생각으로 이겨내었다.

견뎌내기 어려운 일을 겪을 때는 자기보다 더 어려운 사람의 처지를 돌아보면 힘이 된다고 생각한다. 언젠가 나는 입을 옥조이는 고통을 받고 있는 한 장애자의 글을 읽은 적이 있다. 그분은 이렇게 적고 있었다.

'하느님께서 나를 사랑하시기 때문에 이런 아픔을 주신 것으로 알고 있다. 그러나 간혹 나는 하도 견딜 수 없이 아프기 때문에 이런 바람을 가질 때가 있다. "하느님, 저를 적게 좀 사랑하실 수는 없는가요?" 하고.'

간디도 이런 말을 한 것으로 기억하고 있다.

"절망이 될 때는 불의를 끝내 이긴 역사상의 인물들을 생각해본다. 그러면 다시 힘이 생긴다."

그렇다. 엄동일한의 그 매서운 추위에도 푸른 기상을 잃지 않는 소나무를 보면 가슴이 펴지는 것이다. 나는 예수님의 고난과 우리 어머니의 고생을 생각하면서 군훈련을 마쳤다.

1945년 1월, 내가 배치받아 간 곳은 일본의 남쪽에 있는 부도라는 섬이었다. 다행히 그곳에서는 접전이 없어서 나는 간혹 산으로 올라가서 묵상도 하곤 했다. 전쟁은 사실 인간들의 다툼일 뿐 하늘은 여전히 푸르고 흰구름은 한가로웠다.

이때를 생각하면 지금도 프랑스 시인 기욤 아폴리네르의 〈엽서〉라는 시가 떠오른다.

천막 밑에서 나는 그대에게 편지를 쓴다
파란 하늘 속에
눈부시게 피어오르던 꽃은
피기도 전에 시들어가는
한 떨기 요란한 포화
여름의 하루 낮은 기울어가는데.

군에 있을 때 나는 우리 어머니를 신기루 같은 환영으로 한 번 본 적이 있다. 배를 타고 태평양을 건널 때의 일이었다.

내가 탄 배는 군수품 수송선이었다. 군수품을 나르는 수송선으로서는 작은 2천톤급이었는데, 당시 그 배에는 기름과 폭약이 가득 실려 있었다.

그런데 그 배에 갑자기 비상 사이렌이 울렸다. 레이더에 미국 잠수

함이 나타났다는 것이었다. 언제 어떻게 미군의 어뢰 공격을 받을지 모르는 급박한 상황이었다. 만일 어뢰 한 방만 날아오면 배에 실려 있는 화물이 폭발성이기 때문에 배도 사람들도 순식간에 사라지고 말 일이었다.

나는 마음에 죽음을 맞을 준비를 하였다. 갑판 위에서 그리운 고국이 있는 수평선 쪽을 바라보고 가슴에 두 손을 모아 잡았다. 그러자 불현듯이 어머니가 보고 싶었다. 그리고 어머니 품에 안겨서 죽고 싶다는 생각이 태평양의 파도처럼 밀려들었다. 나는 어머니를 불러보았다.

"어머니."

그때 나는 보았다. 수평신 위에 떠서 아스라히 걸어오는 우리 어머니를. 쪽진머리에 비녀를 꽂고 하얀 무명 치마 저고리에 흰 고무신을 신은 모습이있다. 나는 뱃전을 부둥켜잡고 나시 어머니를 불렀다.

"어머니, 어머니이."

나는 평소에 간혹 어머니 곁을 떠나 있고 싶다는 생각을 하곤 했다. 그것은 내가 막내인 때문이었겠지만 어머니의 치마폭에 너무 묻혀서 시낸 네 대한 반삭용이었다.

나는 어머니로부터 해방되고 싶었고, 내가 하던 공부가 철학이어서 그린지는 몰라도 죽음에 대한 생각을 사주 해오넌 터였다. 그래서 나는 만일 내가 죽는다면 어머니가 보시지 않은 먼 곳에서 죽고 싶어하였다. 그것은 어머니가 내 죽는 것을 보시고 괴로워하실 것을 차마 보지 못할 것 같았기 때문이었다.

그런데 막상 죽을 위험이 임박해오니 정반대가 된 내 자신을 깨달았다. 나는 어머니가 못 견디게 보고 싶고, 어머니 품에서 죽고 싶은 간절한 소망에 사로잡힌 것이다.

다행히 어뢰가 날아오지 않아서 그날 항해는 무사히 끝났지만 나는 그 기회에 내 본심을 알았다. 자기가 생각하는 것이 진정 자기가 바라는 것이 아닐 수도 있다는 것을.

나는 이 경험 말고도 두서너 번 꿈속에서 평소에 내가 생각하고 느끼는 것과는 전혀 다른 심적 반응을 일으키는 일을 겪고는 나의 본심이라는 것, 곧 나의 마음속 깊이 있는 참된 나의 모습이 무엇인가를 생각하게 되었다.

나는 또 이 전장에서 사람의 천태만상을 생각해보기도 하였다. 우리나라에서도 상연된 적이 있는 〈로메로〉라는 영화를 보면 사람이 사람을 고문해서 죽여놓은 처참한 장면이 나온다. 그때 시체를 끌어안고 로메로 주교님이 이렇게 절규한다.

"사람이란 말이냐! 사람이란 말이냐!"

사람은 하느님의 모상으로 되었다. 곧 얻어먹고 다니는 사람이든, 지체가 부자유한 사람이든, 자기 의견에 반대하는 사람이든 사람은 하느님의 자식이므로 함부로 해선 안 된다.

168

그런데 우리 주변에는 사람이 사람을 집에서 기르는 가축보다도 못하게 다루는 사람들이 있다. 또한 사람이 사람이기를 포기하고서 짐승보다 더 포악하게 변하는 것을 보기도 한다. 전장이 바로 그런 것을 처절히 볼 수 있는 곳이다.

그날 역시 푸른 하늘에 흰구름이 떠 흐르는 한가로운 낮이었다. 그런데 갑자기 비상 사이렌이 울렸다. 미군 정찰기가 나타났다는 것이었다. 고사포가 쿵쿵 쏘아졌다. 하늘에 섬광이 번쩍이면서 비행기가 검은 연기를 내뿜으며 기울었다. 그러자 비행기에서 낙하산이 두 개 떨어져 나와 지상으로 내려왔다.

미군들은 이내 일군 수색조에 잡혀왔다. 일군들은 잡혀온 포로 앞에 날이 시퍼런 일본도를 들이대있다.

한 미군이 말했다.

"우리를 포로로 대해주시오. 전쟁이 곧 끝나는데 우리를 죽이면 당신들도 따라서 죽게 되오."

다른 미군은 호주머니에서 애인의 사진을 꺼내들고 애원하였다.

"내 사랑하는 연인이오. 이 연인이 우리 고향에서 나를 기다리고 있소. 당신들도 당신들의 고향에 사랑하는 여인이 있을 것이오. 나를 제발 살려서 기다리는 사람한테로 돌아가게 해주시오."

그러나 일군들은 무침히도 미군들을 죽이고 말았다. 그리고 그날 밤 술을 마시면서 군가를 불렀다. 몸서리쳐지는 밤이었다.

1945년 8월 15일. 일본 천황의 무조건 항복으로 전쟁이 끝났다. 일본의 패배는 우리 민족의 해방이었다. 36년 만에 일본 속국으로부터 벗어나는 독립이었다. 광복절 노랫말처럼 '흙 다시 만져보자, 바닷물도 춤을 춘다' 는 그 당시 우리 민족이라면 누구나 느낀 감흥이었다.

그러나 나는 곧바로 고국으로 돌아갈 수가 없었다. 그곳에 함께 있던 우리 한인 출신 노무자들을 비롯한 학병들과 일인들 사이 반목이 폭발해 그 뒷정리가 필요했고, 괌도에서 진행된 전범재판의 증인으로도 서야 했었기 때문이다.

나는 해방 이듬해가 되어서야 꿈에도 그리던 고국땅을 밟게 되어 어머니를 포옹할 수 있었다. 그전까지는 내가 어머니 품에 안겼지만 그때는 내가 어머니를 안았다.

어머니는 눈물 젖은 손으로 내 손을 잡아 끌었다.

"감사인사 드리러 갈 데가 있다."

나는 어머니 뒤를 따랐다. 어머니가 나를 감사인사 드리러 데리고 간 곳은 내구 주교관 옆에 있는 성모동굴 앞이었다. 그때 기도하고 있던 분들이 너도나도 우리 어머니 주위로 모여들며 말했다.

"아, 군에 갔던 아드님이 살아 돌아오셨구먼요. 눈이 오나 비가 오나 하루도 빠지지 않고 기도를 하러 오시더니만 정말 성모 마리아님의 은혜를 입으셨습니다."

"젊은이, 어머니가 지성으로 드린 기도 덕분에 살아온 줄 아시우.

여기 성모동굴에 기도하러 오는 사람치고 젊은이의 어머니를 모르는 사람은 없다우."

나는 어머니를 돌아보았다. 어머니는 기쁨 어린 눈으로 말하였다.

'아니다. 자식을 전쟁터에 보낸 부모치고 자식 무사하기를 바라지 않는 사람이 어디 있겠느냐. 기도를 들어주신 우리 성모님의 은혜에 감사하자.'

이해, 그러니까 1946년 9월 가을학기부터 나는 일본 상지대학에서 하다 만 공부를 서울 성신대학(현 가톨릭 대학)에 편입하여 계속하게 되었다. 그리고 동족상잔의 전쟁 중인 1951년에 졸업하면서 9월 15일에는 대구 계산동 대성당에서 사제서품식이 있었다.

나는 로만칼라 위에 수단, 다시 그 위에 희고 긴 장백의 차림으로 위손에 제의를 걸친 채 발소리를 죽여 식을 집전하는 최덕룡 주교님 앞으로 걸어나갔다.

그해 69세로 자식이 신부 되는 게 꿈이었던 우리 어머니는 동한형님 나음으로 막내인 나마저 신부가 되는 가슴 벅찬 순간을 맨 앞자리 마루마닥에 꿇어앉아서 지켜보고 있었다.

식순에 따라 나는 두 손을 모아 이마를 받친 자세로 마루에 곧게 엎드렸다. 그리고 성가대와 선배 신부들이 불러주는 성인열품도문(모든 성인에게 도움을 구하는 성가)의 성스러운 메아리가 성당을 맴돌 때 나는 속으로 창세기 12장 1절을 되뇌었다.

'하느님께서 아브라함에게 이르시되 너는 너의 본토와 친척, 어버이, 집을 떠나 내가 네게 지시한 땅으로 가라.'

나는 대답했다.

'네.'

이 대답을 하는 데 열두 살 때 대구 성 유스띠노 예비교에 들어간 후 꼭 18년이 걸렸다.

내가 신부가 되어 첫번째로 간 곳은 안동성당이었다. 그곳에 어머니도 따라와서 나의 식사며 빨래 등을 해주고 있었다.

나는 어머니의 본명축일 전날 안동장에 나갔다. 그러고는 한약방에 들러 인삼을 한 냥 사가지고 돌아왔다. 한약방 노인이 일러준 대로 나는 약탕에 대추와 함께 인삼을 넣고 달였다.

이튿날 아침 나는 일찍 일어나 어머니의 방으로 인삼 달인 것을 들고 들어갔다. 아침 기도를 바치고 있던 어머니는 놀라며 물었다.

"신부님, 그것이 무엇이야?"

(어머니는 내가 신부가 되면서부터 나를 꼬박꼬박 '신부님'이라고 높여 불렀다.)

"인삼입니다. 어머니."

"아니, 무슨 일로 그 비싼 인삼을 달여 왔어?"

172

"어머니, 제가 어렸을 때 약속하지 않았습니까?"

"무슨 약속을?"

"내가 서른 살이 되면 어머니께 인삼을 사서 달여드리겠다고 했거든요."

"글쎄……, 나는 기억에 없는데……."

"그래서 그때는 장사를 하면 돈을 벌게 될 것이라는 마음으로 군위 읍내에 있는 가게에 들어가서 장사를 배우겠다고 했었지요."

"맞아, 그런 것은 생각이 나는군. 나는 한사코 신부가 돼야 한다고 했었지."

"어머니, 그때 약속드린 제 나이 서른이 올해예요. 그리고 오늘은 어머니 본명축일이시고요."

어머니는 내가 드리는 인삼 사발을 받으며 "원……"이라는 한 마디를 하였다. 나는 '원' 다음에 들어갈 어머니가 하지 않은 말을 알고 있었다. 그것은 내가 어렸을 때 대견하나 싶으면 잘 쓰시던 '녀석도'라는 말일 것이다.

그러나 어머니의 건강은 이미 기울고 있었다. 그것은 연로하신 나이 때문이기도 하지만 평생을 노동하신 그 후유증이기도 한 것 같았다. 비가 올 것 같으면 팔다리에 바람이 난다고 하던 어머니, 그것은 너무도 많이 걸어다니고 이고 다닌 데서 온 신경통이었으리라.

그런데도 어머니는 한사코 쉬려 하지 않았다. 사제관의 꽃밭에 꽃

씨를 뿌렸고 꽃모종을 하였고, 텃밭에는 고추며 가지며 상추 등의 채소를 심어 가꾸었다.

어머니는 특히 채소 꽃이 필 때면 꼭꼭 내한테 일러주곤 했다.

"오늘은 쑥갓꽃이 노랗게 피었어."

"오늘 낮에 보니 하얀 고추꽃이 피었던데."

"해질 무렵에 나가보니 보라색 가지꽃이 참 예쁘더군."

나는 안동성당 주임신부 임기를 마치고 대구 대주교 비서신부로 발령을 받았다.

어머니는 그때부터 형님과 내가 마련해드린 대구 남산동의 작은 집에서 살았다.

그런데 어머니는 전해부터서 중풍을 앓고 있어서 거동이 불편하였다. 어쩌다 내가 양식과 땔감이 걱정되어 들르면 어머니는 나를 붙들고 말하곤 했다.

"이젠 살 만큼 살았으니 가야 할 것 같아."

"어머니, 제가 걱정되지 않으세요? 좀 더 살아계세요."

"하긴 걱정으로 말하면 하늘에 가서도 마음이 놓이질 않을 거야."

"어머니, 그건 어떤 걱정이신데요?"

"형제가 신부가 되어주어 고맙지만 그것으로 끝난 것은 아니지. 성덕을 쌓은 신부가 돼야 할 텐데……."

174

나는 말이 있을 수 없었다.

"나는 예수님의 수난을 기리는 사순절에 가고 싶어. 그것도 가능하다면 성모님 기념일인 토요일에."

실제로 어머니는 당신의 72세가 되시던 해의 사순절 토요일에 병상에서 일어나서 벽에 걸려 있는 십자가를 떼어들고 성당으로 갔다. 그러고는 그 십자가를 손에 꼭 잡은 채 성로신공(그리스도의 십자가길을 따라가는 기도)을 하였고, 때마침 기도하고 있던 나이 든 신부님께 다시한 번 총고해(평생 지은 죄를 뉘우치며 고백하는 것)를 한 다음 집에 돌아와서 임종을 맞았다.

어머니가 위급하다는 전갈을 받고 내가 달려가니 어머니는 이미 혼수상태에 있었다. 나는 어머니를 안고 불렀다.

"어머니!"

"어머니!"

처음 부름에는 눈을 떴다. 그러나 두번째 부름에는 끝내 눈을 뜨지 못하고 아아 우리 어머니는 내 가슴에 얼굴을 묻고 말았다.

나는 창밖에서 바람 떠나는 소리를 들었다. 하늘에 유성이 하나 흐르면서 꼬리별을 감추는 것을 보았다.

나는 어머니 시신의 머리맡에 무릎을 꿇고 앉아서 어머니가 이 세상에 우리 형제들의 어머니로 오셔서 하신 고생을 일일이 생각해보았다. 옹기장사며, 국화빵장사며, 포목행상이며……, 우리 어머니만큼 고생을 많이 하고 가신 분도 드물 것이다.

나는 대답이 있을 수 없는 어머니께 조용히 물었다.

"어머니, 내가 아는 고생보다는 모르는 고생이 더 많으셨지요?"

너, 어디에 있느냐

이 세상이 막 시작되었을 때, 아담이 선악과를 따먹고 알몸이 된 걸 알고 부끄러워할 적에 하느님이 '너, 어디 있느냐'고 묻는 것이 창세기 3장 9절에 나온다.

하느님의 이 물음이 아담의 잘못에 대한 수중의 의미만을 담고 있는 것은 아니다. 철없는 아이가 잘못을 저지르고 겁이 나서 숨었을 때 아버지가 '애야, 니 어디에 있느냐?'고 찾는 것은 '잘못을 용서할 테니 어서 나오너라'는 사랑의 뜻을 지니고 있는 것이기도 하다. 그리고 또 하나의 의미가 포함되어 있다고 보는데 그것은 자기가 있어야 할 자리를 모르는 사람, 또는 자기가 지으면서도 자기 죄를 모르는 사람들에게 '깨어나라'고 하는 하느님의 경고이기도 하다. '너, 지금 어디에 있느냐?'고.

나는 1955년 6월에 대구교구장 비서에서 김천 황금동성당 주임신부로 옮겨갔다. 거기서 1년이 조금 넘게 사목일을 보다가 이듬해 늦가을에 독일 뮌스터 대학으로 유학을 떠났다.

이때부터 7년 동안 참으로 된장국과 김치가 먹고 싶던 그 기간에 나는 남의 나라에서 산다는 것이 인간적으로 얼마나 힘든가를 체험했다. 그러면서 우리나라에, 그것도 탄압 받던 어두운 시대에 왔었던 선교사 신부님들을 떠올리며 많은 것을 생각하였다.

나는 대학에서 사회학을 전공하였는데 이때 나를 맡아 가르쳐주신 분은 요셉 회프너 교수였다. 이분은 당시 뮌스터 교구의 주교였으며 후일 나와 함께 추기경이 되시기도 한 분인데 나한테 인간 존엄성을 바탕으로 한 것, 모든 인간을 그런 의미로 존중하여 인류 평등을 이루어내야 한다는 사상의 영향을 강하게 주었다.

또 휠크 교수님한테서는 신학을 공부하였다. 이분도 추기경이 되신 분인데 이분 역시 '인간이 무엇이냐'는 것을 가지고 자주 토론하였다. 지금도 기억나는 것은 인간으로서는 우리는 다 똑같다, 그러면서도 너와 나는 다르나 '나'라는 존재는 이 인류 세계에서 오직 하나이다, 과거에도, 현재에도 하나인 이 유일성의 실체와 관계는 어떤 것인가라고 물으며 해주시던 강의이다.

178

나는 1963년 11월에 하느님의 '너, 어디에 있느냐?'에 '이제 고국에 갑니다' 하고 돌아왔다. 그리고 이듬해부터 나는 가톨릭시보사 사장 소임을 맡아서 2년여 동안 일하게 되었다. 이때 틈틈이 대구교도소를 드나들며 사형수들에게 하느님의 말씀을 전하는 일을 하였다.

그때 만난 사형수 가운데 최월갑이라는 사람이 있었다. 이 사람은 살인강도 죄로 대법원에서까지 사형 판결을 받아서 언제 죽을지 모르는 죄수였다.

그런데 사람은 어떤 마음을 먹느냐에 따라서 선인과 악인으로 나눠지는 것일 뿐, 그 낙인이 영원하지 않다는 것을 이 사형수 최월갑을 만나면서 확인하게 되었다. 한순간에 그런 죄를 지은 일이 있었던 것이지 인간적인 면에서는 그렇게 착할 수가 없었다.

아름다운 얼굴을 가지고 싶어하는 사람에게 나는 선한 마음, 기뻐하는 마음을 가지라고 말한다. 외모가 어떻게 생겼든, 지식이 어떻든 관계 없다. 아름다운 미녀라도, 지고한 학자라도 마음에 악과 미움을 품고 있으면 얼굴이 무서워지고 일그러진다. 반면에 못생긴 사람이라도, 지식이 적은 사람이라도 선한 마음을 지니고 기쁨을 가진 삶을 산다면 얼굴에 신비한 아름다움이 나타난다.

신앙을 가진 최월갑의 얼굴에는 늘 평화의 빛이 흐르고 있었다. 사형집행을 앞에 두고 있는 사형수의 얼굴이라고는 도저히 믿기 어려울 정도로 미소가 있고, 광채가 있었다. 현실은 불행한 처지에 놓여 있는

데도 불행으로 느끼지 않고 내적 희열을 가지고 있는 것은 순전히 신앙의 힘이라고 나는 생각했다.

1966년 5월, 나는 주교가 되어 마산교구장으로 내려가게 되었다. 나는 대구교도소로 최월갑을 찾아가서 작별인사를 나누었다. 그리고 교도소장을 찾아가서 최월갑의 사형을 집행하게 되면 꼭 알려달라는 부탁을 해놓았다.

그런데 그해 9월, 하늘도 마산 앞바다도 함께 푸른 날로 기억되고 있는 날이었다. 아침 일찍, 대구교도소로부터 걸려온 전화를 받았다.

"주교님. 우울한 소식을 전해드리게 되었습니다. 최월갑 사형수에 대한 사형집행을 오늘 합니다."

"알겠습니다."

나는 서둘러서 대구교도소로 올라갔다. 사형장에는 교도소장과 검사, 검시의, 그리고 교도관이 대기하고 있었다. 이내 호송 교도관이 양쪽에 붙어서서 최월갑을 데리고 왔다.

"아, 주교님. 와주셨군요. 감사합니다."

그는 나를 보자 반가워하며 인사를 했다. 너무도 여유 있는 그의 모습에 주변 사람들이 오히려 어리둥절해 할 정도였다.

검사가 인정심문을 하고 판결문을 읽어주었다. 그러나 최월갑의 얼굴에는 여전히 평화의 빛이 흐르고 있었다. 도리어 마음이 아픈 내 얼굴이 일그러져 있었을 것이다.

나는 최월갑 사형수 앞으로 가서 성서의 부활에 대한 부분을 읽어주었다. 그리고 함께 기도하고 나서 마지막으로 종부성사를 주었다.

최월갑의 목에 밧줄이 걸렸다. 순식간에 그가 딛고 신 청마루가 덜컹 빠져나갔다. 그것이 사형의 모습이었다. 그런데 그 순간 이변이 일어났다. 최월갑의 목을 매단 밧줄이 끊어지면서 바닥으로 사람이 떨어져버린 것이다.

거기 모인 사람들은 모두 당황해 하며 달려 내려갔다. 나와 함께 가고 있던 교도소장이 한마디 했다.

"심장마비로 이미 죽었을 겁니다."

나는 일리가 있는 말이라고 생각했다. 대개의 사형수들은 형장으로 오면서 이미 혼이 나가버린다. 너옥이 밧줄이 목에 걸릴 때는 생을 다 마친 것처럼 보이기도 한다. 그러니 아무리 대연하게 형장에 선 최월갑이더라도 밧줄에 목이 매인데다 아래로 떨어진 충격도 있고 하니 교도소장의 말대로 이미 죽었을지도 모를 일이었다.

그러나 놀라운 일이 벌어졌다. 아래에 떨어져 있는 최월갑이 살아서, 달려 내려간 사람들을 빙그레 웃고 맞아준 것이다.

"주교님, 또 뵙습니다."

그의 얼굴에는 여전히 평화의 빛이 흐르고 있었다. 그를 부축해서 잔디밭으로 나왔다. 교도관들은 서둘러서 사형대를 고쳤다.

세상에 이보다 더 고통스러운 일이 있을까. 형장의 밧줄이 끊어져서 죽음 한 걸음 앞에서 살아났다. 그러나 교도관들은 사형을 다시 집행하기 위해 형장을 손보고 있고 그는 기다리고 있다. 최월갑의 손을 잡고 있는 내 손은 떨고 있었다. 도리어 그가 나를 위로해주었다.

"주교님, 하늘이 참 파랗습니다."

"그래, 구름 한 점 끼지 않았군."

"주교님, 저 파란 하늘 같은 하느님의 진리를 깨닫고 가게 되어 참 행복합니다."

나는 더욱더 힘을 주어 최월갑의 손을 잡아주었다. 마침내 형장의 정리가 끝났다. 그는 형장으로 다시 나서면서 나한테 말했다.

"주교님, 30분 후에 천국에 가서 주교님을 위해 기도하고 있겠습니다."

그의 얼굴에는 여전히 봄바람 같은 미소가 감돌았다. 그의 이 얼굴빛은 숨이 끊어진 뒤에도 조금도 변하지 않고 있었다.

나는 최월갑의 시신을 수습해 대구 계산동성당으로 가서 장례미사를 치렀다. 나는 강론시간에 말하였다.

"…… 우리는 이 세상에서 금력을 누리고 살았으나 빈손으로 허망하게 죽는 사람들을 종종 봅니다. 그리고 권력과 명예를 누리고 살았으나 비참한 최후를 맞는 사람들 또한 보고 있습니다. 그러나 여기 이 사형수는 돈도 권력도 명예도 없었으나 죽음만은 행복하게 맞이하는 것을 제가 오늘 보았습니다. 그것은 이 세상의 모두가 나를 버려도 하느님만은 나를 버리지 않고 사랑한다는 것을 믿었기 때문입니다. 사실 한 개인이 맞이하는 죽음의 시간에는 옆에 아무리 많은 사람들이 있다 하더라도 그 사람은 고독 속에 혼자 완전히 버려진 상태가 됩니다. 누구나 한 번은 꼭 가는 길이지만 누가 그 절망보다 깊은 어둠의 길을 함께 가줍니까. 누가 그 엄청난 고통에서 건져내줍니까. 부모형제입니까, 아내, 친구, 혹은 연인입니까. 그동안 가지고 있었던 돈도, 권력도, 명예도 무지개처럼 흔적 없이 사라져버립니다. 그렇다면 그것이 진정 마지막입니까. 아닙니다. 이 절망보다 깊은 어둠 속 고통의 저편에 있는 빛을 믿는 사람은 봅니다. 그것을 여기 최월갑 사형수가 증인이 되어주었습니다. 죽음을 이긴 사람입니다.”

강론을 마치고, 장례차가 떠난 뒤 성당의 등나무 밑에서 쉬고 있는데 한 젊은이가 다가왔다.

“주교님, 강론 참 잘 들었습니다. 그런데 어떻게 어둠인 죽음을 이기기 위하여 먼저 해야 할 것은 무엇인지요?”

“회개입니다. 도스토예프스키 작품 《죄와 벌》에서 보면 살인을 한 주인공 라스콜리니코프에게 그를 사랑한 창녀 소냐가 이렇게 말하지요. ‘일어나서 곧장 네거리로 가서 네가 더럽힌 땅에 입맞추고 그리고 사방 온 세상을 향해 절을 하면서 나는 살인죄를 저질렀다고 소리

처야 해. 그러면 신은 너를 다시 살려주실 거야. 가서 그렇게 하겠니?' 하고 말이에요. 이렇게 진정으로 참회할 것을 애타게 호소한 소냐는 같이 아파하는 마음으로 '우리 어서 가자. 그리고 함께 고통의 십자가를 짊어지자'라고 합니다. 때문에 라스콜리니코프는 소냐의 말을 따라 회개함으로써 새 사람이 되지요. 그리고 소냐는 그의 참회와 고행의 길에 줄곧 함께 있어줍니다."

젊은이는 발밑을 보고 한참을 서 있다가 비로소 고개를 들고 말했다.

"주교님, 고해성사를 받고 싶습니다. 주교님께서 주신다면 감사하겠습니다."

나는 천천히 고해실로 들어갔다.

나는 마산교구장으로 2년 동안 일하고서 1968년 4월에 서울대교구 교구장으로 임명받았다. 그리고 이듬해인 1969년 4월 30일에 로마 교황이신 바오로 6세로부터 추기경으로 피임되었다. 내 나이 그때 47세로 당시 전세계 136분 추기경 가운데 최연소자라고 해서, 그리고 한국천주교사상 최초의 추기경이 나왔다고 해서 분에 넘치는 축복을 받았다.

기대가 크면 클수록 힘이 들게 마련인데 나는 오직 하느님이 나를 자유롭게 쓰실 수 있도록 내가 신부서품을 받던 첫 마음 때처럼 나를 비우는 일을 끝없이 계속함으로써 나 자신을 하느님이 시키는 대로만 하려고 해왔다.

1993년 3월에 나는 작가와 함께 나의 저 아득한 유년과 소년시절의 발자취를 더듬는 추억여행을 떠났다.

내가 태어난 대구의 남산동 집터에는 보성주택 아파트가 들어서 있었다. 그러나 국민학교 5학년을 마치고 떠나온 뒤 실로 59년 만에 찾아 산 군위의 용대동 초가삼간 집만은 용하게도 폐가로나마 남아 있었다.

퇴색한 문살로만 남아 있는 방문, 아예 떨어져 나가고 없는 부엌문. 형과 함께 걸터앉아서 앞산을 바라보고 노래를 부르곤 했던 마루만이 옛적 것 그대로 남아 있었다.

마을 앞으로 흐르던 맑은 개울물도 사라지고 없고 잡초만 한창 올라오고 있었다. 내가 나가서 행상 나간 어머니를 기다리던 신작로에 두 줄로 늘어서 있던 버드나무 가로수도 몇 그루 남아 있지 않았다. 그날의 우리 가족들은 지금 모두가 이 세상을 떠나고 없다. 아버지, 어머니, 형님들, 누님들. 팔남매 중 오직 막내인 내 혼자만 살아 있다.

내가 다녔던 군위국민학교에 가보았다. 강당에 모여 있던 아이들한테 얘기를 하다 말고 나는 내가 어린 날의 모습으로 아이들 속에 앉아 있는 듯한 착각을 받았다. 그동안에 흐른 무심한 시간만 들어내버릴 수 있다면 나는 그 아이들 중의 하나로 운동장을 달리고 있으리라.

돌아오는 차 안에서 이런저런 지난 일을 묻는 작가가 좀 진지한 인간 본연에 관한 것을 물었다. 인간은 어디서 왔는가. 인간은 누구인가…….

나는 과학적인 것은 자연법칙에 따라 증명이 돼야 한다고 생각한다. 인간이 과연 2천조분의 1이라는 확률의 우연으로 생긴 것일까? 인체학에 의하면 사람의 마음은 작은 뇌가 있는 뒷머리에 있다는데 사람들은 왜 손을 들어 가슴을 향하고 있는가? 현대의학의 해부에서도 마음이 나타나고 있지 않은데 그렇다면 인간에게 마음이 없다는 말인가?

나는 내 결론을 말하였다.

"인간은 모든 육적인 것을 다 가지고 있으면서도 유독 정신적이고 영적인 존재입니다."

작가가 또 물었다.

"인간의 진정한 구원자는 누구입니까?"

"네덜란드 신부님이 쓴 책 가운데 《상처 받은 치유자》라는 책이 있어요. 그 책 맨 마지막 장에 유대에 전해 내려오는 일화가 하나 나옵니다. 어느 랍비가 엘리야에게 가서 메시아가 언제 옵니까 하고 묻습니다. 엘리야가 대답합니다. 저기 성문에 가면 거지들이 있다. 거기에 있는 모든 거지들이 자기의 상처를 감은 붕대를 풀었다 감았다 하고 있는데 그중의 하나가 다른 거지들과는 달리 자기 상처의 한 부분만을 풀었다가 감았다가 한다. 그도 다른 거지들과 똑같은 상처인데 그렇게 부분만을 하고 있는 것은 남이 필요로 할 때 도움을 줄 수 있는 시간을 가지기 위해서이다. 바로 그가 메시아이다고 했어요. 사실 오늘을 사는 사람들은 모두 다 상처를 입었지요."

"프랑스의 랭보라는 시인도 이런 시를 썼습니다.

성이여!

계절이여!

상처 없는 영혼이 어디 있으랴."

"좋군요. 그런데 이렇게 상처를 입은 모두는 다 치유 받기를 원하죠. 이때 만일 우리 중의 누군가가 자기도 상처를 입었고, 고통을 당하고, 소외되어 있고 억눌려 있으면서도 자기 자신을 생각하는 것이 아니라 늘 남을 생각하는 마음을 가지고 있다고 할 때에 그러한 사람이야말로 참다운 해방을 가져오는 사람이 아니냐 하는 것이죠."

"인간이 끝까지 지켜가야 할 가치는 무엇이라고 생각하십니까?"

나는 '인간다움'이라고 내답했다. 현대인들은 사람을 희생시키면서까지 '돈'이라는 목적을 성취하려 한다. 돈을 벌기 위하여 인간관계를 저버려도 좋고 인체에 해로운 불량식품을 만들어도 되는가. 또한 성을 부추기고 폭력을 행해도 되는가. 돈을 버는 것이 나쁘다는 것이 아니다. 돈의 노예가 되는 것이 문제인 것이다. 정치만 해도 그렇다. 인도의 네루는 '정치는 국민의 눈에서 눈물을 거두어주는 것이어야 한다'고 했다. 그러나 우리나라의 정치는 때때로 국민의 눈물을 거두어주기는커녕 눈물보다 진한 피까지도 흘리게 했다.

인간이 자기 아닌 남을 도울 줄 알고 배신 아닌 신의를 지키며 사는 것, 그것이 인간 본연의 삶이다. 인간에게 진리와 정의와 사랑과 영적인 삶이 없이는 인간으로 살아갈 가치가 없다고 본다.

"잊히지 않는 감동적인 장면은?"

나는 가만히 생각해보았다. 그렇다. 촛불행진이다. 나는 1986년 6월의 일이 떠올랐다.

그날 명동성당에서 민주화를 위한 전국사제단 미사가 있었다. 미사가 시작되는 저녁때가 되자 명동성당은 안도 바깥도 발 디딜 틈이 없이 군중들로 꽉 찼다. 내가 강론하는 도중에 폭우가 쏟아졌다. 그러나 광장을 메운 사람들은 그 억수같이 퍼붓는 비를 맞으며 꼼짝하지 않고 있었다. 이내 비가 그쳤다. 촛불이 한 사람으로부터 또 한 사람으로 이어져 갔다. 빛을 나누어 받고 꺼지면 또 나누어 받고. 그리하여 미사를 마치고 그 촛불로 어둠을 밀어내며 행진하던 사람들.

"빛은 희망이기도 하지요."

"사랑이기도 합니다. 참으로 누군가를 뜨겁게 사랑할 때 나타나거든요. 그리고 자신을 불태우지 않고는 빛을 낼 수 없는 것이 촛불 아닙니까. 곧 희생이지요. 하느님이 너, 어디에 있느냐고 했을 때 네, 여기 촛불로 있습니다 하고 대답할 수 있는 사람이 얼마나 됩니까. 한 사람의 꿈은 그냥 꿈으로 남을 수밖에 없지만 모인 사람들의 꿈, 곧 빛의 어우러짐은 실현이 될 수 있는 것이에요. 우리 사회에서 누군가가 먼저 꿈을 가지고 그 꿈이 전파되고 점차 확대되어 그날의 촛불행진처럼 강물 되어 흐르면 현실화되지 않던가요?"

우리를 태운 차는 고개를 넘고 있었다. 산 아래 저녁 안개를 내려다보며 이번에는 내가 물었다.

"사람한테 고통이 없다면 어떻게 될까요?"

작가가 한참 침묵하고 있더니 대답했다.

"몸만 자라고 마음은 자라지 않은 식물인간이지 않겠습니까?"

"그래요. 설리춘색(雪裏春色)이라는 말이 있어요. 눈 밑에 이미 봄이 와 있다는 말인데요. 고통 속에도 이미 기쁨이 와 있다고 믿고 이겨내는 것, 그것이 참인간의 길이지요."

나는 어둠 속에 떠오르는 별을 보면서 내가 좋아하는 아씨시 성 프란치스꼬 기도문을 가만히 외워보았다.

나를 당신의 도구로 써주소서
미움이 있는 곳에 사랑을
다툼이 있는 곳에 용서를

분열이 있는 곳에 일치를

의혹이 있는 곳에 신앙을

그릇됨이 있는 곳에 진리를

절망이 있는 곳에 희망을

어두움에 빛을

슬픔이 있는 곳에 기쁨을 가져오는 자 되게 하소서

위로받기보다는 위로하고

이해받기보다는 이해하며

사랑받기보다는 사랑하게 하여 주소서

우리는 줌으로써 받고 용서함으로써 용서받으며

자기를 버리고 죽음으로써 영생을 얻기 때문입니다.

동화작가 정채봉이 쓴
김수환 추기경 이야기

바보별님

1판 1쇄 발행   2009년 3월 20일
1판 2쇄 발행   2009년 3월 25일

지은이_ 정채봉
펴낸이_ 임양묵
펴낸곳_ 솔출판사

주소_ 서울시 마포구 서교동 342-8
전화_ 02-332-1526~8
팩스_ 02-332-1529
이메일_ solbook@solbook.co.kr
홈페이지_ www.solbook.co.kr
출판등록_ 1990년 9월 15일 제10-420호

ⓒ 글·김순희, 2009
ISBN 978-89-8133-913-5   03040

■이 도서의 국립중앙도서관 출판시도서목록(CIP)은 e-CIP 홈페이지
　(http://www.nl.go.kr/cip.php)에서 이용하실 수 있습니다(CIP제어번호: 2009000800).
■잘못 만들어진 책은 구입한 곳에서 바꿔드립니다.
■책값은 뒤표지에 표시되어 있습니다.

김은천 증
기,6109